Evangelho no Lar

para crianças de 8 a 80 anos

Evangelho no Lar para Crianças de 8 a 80 Anos
Copyright by © Petit Editora e Distribuidora Ltda., 2008-2024
16-04-24-3.000-34.300

Coordenação editorial: **Ronaldo A. Sperdutti**
Capa e projeto gráfico: **Ricardo Brito**
Imagens da capa: **Mikhail Nekrasov e Ian Kahn / Dreamstime.com**
Revisão: **Maria Aiko Nishijima**
Impressão: **Gráfica Rettec**

Dados Internacionais de Catalogação na Publicação (CIP)
(Câmara Brasileira do Livro, SP, Brasil)

Meimei (Espírito).
  Evangelho no lar para crianças de 8 a 80 anos / do Espírito Meimei ; [psicografado] pela médium Miltes Carvalho Bonna. – São Paulo : Petit, 2008.

  ISBN 978-85-7253-166-5

  1. Espiritismo 2. Psicografia I. Título.

08-04160   CDD: 133.93

Índices para catálogo sistemático:
1. Mensagens psicografadas : Espiritismo   133.93

Direitos autorais reservados.
É proibida a reprodução total ou parcial, de qualquer forma ou por qualquer meio, salvo com autorização da Editora.
(Lei nº 9.610, de 19 de fevereiro de 1998.)
Traduções somente com autorização por escrito da Editora.
Impresso no Brasil.

Evangelho no Lar

para crianças de 8 a 80 anos

Do Espírito Meimei

Psicografado pela médium Miltes Carvalho Bonna

editora

Av. Porto Ferreira, 1031 – Parque Iracema
15809-020 – Catanduva-SP
17 3531.4444

www.petit.com.br | petit@petit.com.br
www.boanova.net | boanova@boanova.net

Prezado leitor(a),
Caso encontre neste livro alguma parte que acredita que vai interessar ou mesmo ajudar outras pessoas e decida distribuí-la por meio da internet ou outro meio, nunca deixe de mencionar a fonte, pois assim estará preservando os direitos do autor e consequentemente contribuindo para uma ótima divulgação do livro.

Às mãos amigas,
que no anonimato serviram, copiando,
revisando, doando seu tempo com tanta
dedicação, a nossa gratidão eterna.
Deus as abençoe!

Agradecimentos

OBRIGADA, SENHOR.

Pela bênção da vida!

Pela paz do meu coração!

Pela Doutrina abençoada!

Pela alegria de servir em Teu nome!

Pelas mãos benditas que me apóiam!

Pelo lar, pela família!

Pelos meus amigos!

E permita-me direcionar ao Dario, esposo querido, o beijo de carinho e gratidão para que ele o reparta com os nossos filhos diletos Siomara – Luiz Carlos (esposo), Rosemara – Rubinho (esposo), Dario Junior – Francine (esposa), e aos netos amados Bruno Luís, Gustavo, Danilo, Stephanie, Lucas, Rubens Junior e Kauan (muito aguardado).

A médium

Sumário

    Apresentação 13

    Prefácio 17

    Introdução 19

1 | Portas abertas... 21

2 | Deus é sabedoria 22

3 | Lei também é tudo isto 24

4 | Jesus – o Cristo 26

5 | O Consolador Prometido 28

6 | A religião espírita 30

7 | A ciência espírita 32

8 | A filosofia espírita 35

9 | A realeza de Jesus 37

10	Estações diferentes 39
11	Em que mundo vivemos?......................................42
12	Daqui não se sai enquanto... 44
13	Será um mundo encantado?...................................46
14	Nossa Terra – nosso lar..50
15	Desejo de um mundo melhor................................52
16	A natureza não dá saltos! 55
17	Nascemos da água e do espírito............................57
18	Nascer na Terra e renascer no mundo espiritual..60
19	O reino dos Céus pode estar nos nossos corações.. 63
20	Nova vida por meio da reencarnação 66
21	Os laços de família continuam...............................68
22	Principais aspectos dos laços de família 70
23	A durabilidade das afeições espirituais 73
24	Encarnação sem fronteiras definidas 75
25	O porquê da reencarnação 78

EVANGELHO NO LAR
PARA CRIANÇAS DE **8** A **80** ANOS

26 | Analisando as aflições 80

27 | Esquecimento do passado é a medida salutar! 82

28 | Resignação não é acomodação 84

29 | Sincronia perfeita, mente sã em corpo são 86

30 | Expiação é prova mas nem toda prova é expiação 88

31 | Carregar a cruz com dignidade! 93

32 | A fé é o remédio certo 96

33 | Felicidade... 98

34 | Perdas? Não. Viagem antecipada... 100

35 | Misericórdia para despertar os violentos 103

36 | Sofrimento 106

37 | Pontos de alerta 109

38 | Melancolia na alma 111

39 | Provas e cilício 113

40 | Somente Deus deve decidir 115

41 | Submissão a Deus 117

42	Virtude esquecida 119
43	Adultério 122
44	Projetando a vida 124
45	Pureza interior 128
46	Canalização para o bem 130
47	Que canteiro somos? 133
48	Pais e filhos 136
49	Um só caminho – caridade 140
50	Caridade autêntica 143

Roteiro para o estudo do *Evangelho* no lar 146

Sobre o Espírito Meimei 149

Apresentação

NO ATURDIMENTO que domina este século de aventuras e conquistas tecnológicas, o homem faz-se vítima da própria pusilanimidade.

Vencido pelo orgulho desmedido, guinda-se aos poderes transitórios, esquecido da fragilidade que lhe caracteriza a roupagem carnal, surpreendendo-se e deprimindo-se ante as vicissitudes naturais de seu processo de experiências evolutivas.

Acompanhando a marcha ciclópica das doutrinas do utilitarismo imediatista e das diversões exageradas, apressa-se em acumular haveres para gozá-los com desmedida alucinação.

Quando isso não ocorre, pretende usufruir dos favores que lhe são prometidos pelo mercado das sensações e arroja-se, imaturo, nas dependências viciosas do sexo, do álcool, das drogas...

Arremetendo contra os valores ético-morais, propõe comportamentos licenciosos e vis, num despotismo e lascívia que o extenuam.

Subitamente, dá-se conta do equívoco no qual se encontra e pretende tudo modificar a bel-prazer, como se a vida lhe devesse submeter em lamentável inversão da ordem, que a loucura não lhe permite compreender.

Nesse estado, a dor desperta-o e o faz reiniciar a viagem de volta à razão, ao equilíbrio.

Nesse homem, no entanto, sofredor e confuso, as mãos de Jesus trabalham o futuro cidadão do bem, que ressurgirá dos escombros como uma falena de luz, que abandona a carcaça inútil, já destruída.

Para essa renovação, o *Evangelho* é o caminho e o Espiritismo é a terapia salvadora, sem os quais as tentativas de outras procedências se tornam inúteis, quando não inócuas.

Apressar o momento em que o *Evangelho*, à luz do Espiritismo, deve adentrar-se no lar e aí fazer morada é dever de todo cristão consciente das suas responsabilidades.

O *Evangelho* no lar acende a luz da esperança que nunca se apaga. Propicia harmonia, que facilita o entendimento entre os membros do clã. Asserena os ânimos e liberta os sentimentos das paixões amesquinhantes.

Isso porque o *Evangelho*, na vivência da família, torna-se a força de sustentação da vida.

Assim, saudamos, no presente livro, uma valiosa contribuição para o estudo e a reflexão de todos, em alguma e em todas as idades, trabalhando em favor do homem novo de amanhã e de uma sociedade feliz no futuro.

Confiamos em que todos aqueles que o lerem encontrarão recursos, subsídios e orientação de segurança para os problemas do cotidiano, aprendendo a ciência e a arte da alegria de viver em qualquer situação, na família.

Rogando a Jesus que nos abençoe, auguramos ao caro leitor a felicidade de implantar, no ninho doméstico, a palavra do *Evangelho* como luz de felicidade perene.

Joanna de Ângelis
Salvador, 18 de setembro de 1989

(Psicografada pelo médium Divaldo Pereira Franco na sessão mediúnica do Centro Espírita Caminho da Redenção, em Salvador, Bahia)

Prefácio

QUE AS PÁGINAS folheadas pelas suas mãos possam acrescentar:

- alegria de viver na Terra;
- esperança de mudança interior;
- participação no grande contexto universal;
- contato com o mundo renovador que o *Evangelho* propicia;
- certeza da magnanimidade do Criador;
- humildade para a análise criteriosa;
- apoio aos corações que militam desinteressadamente no bem;
- perseverança na análise do próprio roteiro de vida.

É um trabalho modesto, sem preocupações literárias profundas, mas que deseja falar ao seu coração.

Permanece em busca de mãos que se preocuparam de acordo com as possibilidades, em colaborar, mas valeu, valeu mesmo! Não está como vocês desejariam, mas é uma resposta singela de amor, de muito amor.

Talvez necessitasse de arremates, mas na natureza tudo se encadeia de forma tal que cada um deverá imitá-la, arrematando o que falta e colocando o bem a serviço no âmbito das possibilidades próprias.

E nós daqui, que militamos com imensa satisfação na Ciranda de Amor – da família Ceos – IAM, sentimo-nos agraciadas pela sua atenção, e sabendo que o numerário desta obra alimentará milhares de bocas famintas, humildemente agradecemos pedindo a Deus que do infinito se derramem as bênçãos de paz e de alegria para que, espargidas sobre o seu coração, alcancem os que caminham ao seu lado.

Jesus abençoe as mãos laboriosas da grande obra de renovação.

Agradece.

Espírito Meimei

(Mensagem psicografada em reunião de 10 de maio de 1994, no Ceos – Centro Espírita Obreiros do Senhor)

Introdução

A PARTIR DE 1981, a espiritualidade e eu nos dedicamos a este livro singelo. Disciplinadamente, uma vez por semana, tive encontro marcado com Meimei. Não suspendi a atividade por motivos fúteis, a não ser enfermidade ou períodos planejados de viagem.

O estudo das obras da Codificação fazia parte obrigatória antes da psicografia e foi para mim estímulo contínuo.

À presença amorosa da mentora e sua equipe me acrescia a responsabilidade. Muitos poderão se surpreender e pensar: "Como uma estrela luminosa da constelação de Jesus poderá estar aqui?". Mas digo a vocês: Estamos no Ceos[1] e ele é um Céu ao nosso alcance para servir na Terra.

Nesta casa de amor, milhares de corações sofridos recebem o alimento do corpo e da alma, e onde existe trabalho solidário, estrelas de amor, como Meimei, estão

---

1. Centro Espírita Obreiros do Senhor, mantenedor da Instituição Assistencial Meimei (IAM). (Nota da Médium)

servindo, materializando, pelas mãos de cada um, o socorro aos sofredores da jornada.

Ela é uma luz que se irradia e assim pode estar presente em todos os locais onde mãos se disponham a servir. Desde 1968 tem sido a orientadora amiga, convidando-me por meio das suas vibrações ao trabalho socorrista.

Na condição de médium imperfeita, nem sempre consegui captar na íntegra a sinfonia de amor das mensagens oferecidas por Meimei. Perdoem-me as falhas, pois com boa vontade aprenderei um dia a servir melhor.

E na música cantada pelas crianças da espiritualidade, homenageio quem tem sido sinônimo de trabalho com amor.

> *Meimei é a titia bondosa*
> *Meimei nos ensina o Céu*
> *Meimei, este Céu de bondade*
> *Nasce da caridade,*
> *Do trabalho cristão.*
> *Meimei é carinho, é afeto*
> *Pra criança sem teto*
> *Que não tem ilusão...*
> *É esperança, é alegria,*
> *Nas horas vazias, de quem tem solidão!...*
> *Meimei.*

1 🍎 Portas abertas...

AQUI ESTÁ A CHAVE do nosso coração. Pode abri-lo, Senhor! Nós O aguardamos com muito carinho para aprender a Sua mensagem.

E, na condição de criança ainda em aprendizado, permita, querido Amigo, que Sua bondade permaneça conosco neste instante!...

2 ❧ Deus é sabedoria

"Eu sou o Senhor, teu Deus..."
(ÊXODO, 20: 2)

SABEDORIA DE DEUS é conhecimento, amor e bondade.

Ele é o Criador do universo – de todos os mundos que se movimentam no espaço infinito.

Tem Ele suas leis justas e sábias e que a todos e a tudo governam.

Quando Suas leis são obedecidas, o aprendizado é feito pelo amor; mas quando há desequilíbrio, desobediência, surge o mal, que é o remédio amargo criado pela vontade do homem.

Essa livre vontade é algo dado por Deus, para fazermos uso da nossa razão, do nosso pensamento.

Toda criança, e gente grande também, sabe o que é certo, o que se deve fazer, mas nem sempre o faz. Então se sofre pelos erros cometidos por vontade própria.

EVANGELHO NO LAR
para crianças de 8 a 80 anos

Deus é Pai Misericordioso, por isso nos mandou Jesus para nos dar o pão espiritual do Seu *Evangelho*. Aí estão os ensinamentos que devemos seguir: as leis de Deus.

3 — Lei também é tudo isto

"Não tomarás o nome de teu Deus em vão."
(Êxodo, 20: 7)

DEUS É NOSSO Pai Misericordioso, bom e justo.

Não o vemos, mas o sentimos na natureza – no azul do céu, nas estrelas cintilantes, na chuva que cai, na flor que desabrocha, no bem-te-vi que canta de manhã, na bênção do nosso corpo físico, que é uma máquina maravilhosa.

Temos de respeitar Seu nome, isto é, nunca deve ser falado em vão, ser colocado em brincadeira desrespeitosa.

A cada dia da semana devemos trabalhar fazendo alguma coisa com nosso próprio esforço, porque Deus trabalha sempre em nosso favor.

Quem estuda trabalha também, senão não teria razão para descansar no domingo.

Nossos pais ou os responsáveis por nós devem ser respeitados, honrados por todos. Por intermédio deles, Deus fala conosco.

A vida deve ser valorizada. Não devemos matar – nem as plantas, nem os animais, usando maldade em nosso coração. Como alimento para nós, eles são sacrificados. Um dia, o homem conseguirá sobreviver sem sacrificá-los.

Quantas vezes desejamos alguma coisa pertencente a alguém. Será certo? Isso se chama cobiça. É um hábito muito feio que nos causa grande mal. Precisa ser evitado, pois pode nos levar ao furto, ao roubo.

Como Deus é amor, tudo nos dará na hora certa e de acordo com o nosso merecimento. Mas devemos fazer o bem pelo próprio bem, repartindo aquilo que Ele nos dá com os nossos irmãos.

As primeiras leis de Deus foram trazidas por Moisés – o Seu primeiro enviado – e foram chamadas de *Dez Mandamentos*.

O decálogo foi escrito em uma pedra por intermédio da mediunidade – um dom de Moisés.

Essa habilidade todos nós temos; cada um de um jeito, e, com muito amor no coração, podemos ser instrumentos de Deus, Nosso Pai, como Moisés o foi. Dessa forma, estaremos contribuindo também como mensageiros da esperança.

4 ✤ Jesus = o Cristo

**"Não penseis que vim destruir a lei
ou os profetas..."**
Jesus (Mateus, 5: 17-18)

JESUS NÃO VEIO destruir a Lei de Deus estabelecida por Moisés, mas veio cumpri-la.

Simplificou os *Dez Mandamentos* em um só: "Amar a Deus sobre todas as coisas e ao próximo como a si mesmo"[2].

Ele veio acordar o coração do homem que, muitas vezes, adormece diante das coisas da Terra, esquecendo-se de Deus.

Ensinou-nos o amor e o respeito a Deus, sem a necessidade de adorá-lo por retratos ou imagens.

---

2. Mateus, 22: 37-39.

EVANGELHO NO LAR
PARA CRIANÇAS DE **8 A 80** ANOS

Quem auxilia o próximo ou aquele que está perto de nós, querendo-lhe bem, ajudando-o nas dificuldades, defendendo-o das agressões, está mostrando amor a Deus.

O próximo mais próximo está dentro de nossa família – o papai, a mamãe, o vovô, a vovó, os irmãozinhos. Sempre que, por meio das nossas ações, mostramo-lhes amor, é como se estivéssemos falando a Deus do nosso amor a Ele.

Jesus é o amigo de todas as crianças, mesmo daquelas que ainda não tiveram a oportunidade de conhecê-lo.

E nós, amiguinhos, que já o amamos tanto, temos o dever de ajudar as outras crianças a descobrirem o carinho de Jesus por elas.

Devemos lhes falar da bondade do Mestre e da procura a outros corações, a fim de espalhar o seu amor.

Seu olhar generoso enxerga a distância. Ele consegue ver, através das paredes e até do nosso próprio coração, a vontade de crescermos para o bem.

Quando a criança conversa com esse Amigo Sublime, uma força maior a invade; experimenta a alegria de viver; a vontade de estudar, de brincar e de ajudar os outros e a mamãe. Sente mesmo como se tivesse nas mãos um talismã, uma jóia preciosa que lhe dá força para amar, perdoar e servir.

É claro que não necessitamos de um amuleto de verdade para fazer o bem – é só termos amor, muito amor.

5 ❦ O Consolador Prometido

**"E eu rogarei ao Pai,
e Ele vos dará outro Consolador..."**
JESUS (JOÃO, 14: 16)

ASSIM COMO DEUS enviou Moisés e depois Jesus para revelarem as leis que levariam os homens a encontrar um bom caminho, prometeu-nos mandar também um Consolador.

Esse Consolador traria as vozes do Céu a fim de relembrar os ensinamentos de Jesus para a humanidade.

Elas representavam o Consolador Prometido e se fariam ouvir por muitos corações dedicados ao bem. Quem mais se interessou por anotá-las foi um professor francês chamado Hippolyte Léon Denizard Rivail, que escolheu o pseudônimo de Allan Kardec.

Não foi necessária a mesma pedra de Moisés. O "Espírito de Verdade", que representava o Consolador Prometido, encontrou um meio mais simples de enviar o recado.

Esse instrumento foi chamado de mediunidade. Ela pode ser comparada a uma espécie de pedra que sustenta um grande edifício – o Espiritismo.

Espiritismo é religião: religa os homens a Deus por meio das parábolas e ensinos de Jesus.

Espiritismo é ciência: estuda, pesquisa as leis que explicam como as vozes dos Céus podem falar à Terra.

Espiritismo é filosofia: indaga de onde viemos antes de nascer, o que fazemos neste planeta e para onde vamos ao sairmos daqui.

A Doutrina Espírita confirma a existência de muitas moradas na Casa do Pai[3]. Além do planeta em que vivemos, existe o mundo espiritual e outros orbes iguais, melhores ou piores do que a Terra.

O Espiritismo ensina a nos prepararmos visando merecer uma vida futura cheia de paz e de oportunidade de progresso ao nosso espírito.

---

3. João, 14: 2.

6 · A religião espírita

"A Religião, não sendo
mais desmentida pela Ciência,
adquirirá um poder inabalável (...)"
(*O Evangelho Segundo o Espiritismo*, Cap. 1, item 8)

JESUS, NA SUA misericórdia, trouxe-nos sua mensagem de esperança convidando-nos ao estudo do seu Evangelho.

Em cada página recordamos suas palavras. Elas servem para modificar nossa vida, se realmente nos esforçarmos em exemplificar seus ensinamentos.

Religião significa religar algo que já estava ligado. Chamar a atenção dos corações para Deus.

Deus, Pai Amado, justo e bom, espera a união de seus filhos com ele. Essa é a finalidade da religião.

Ela deve representar a simplicidade, como Jesus viveu. O Mestre tinha por templo a natureza e por altar a própria consciência.

Convidava todos a orar. A sua prece era simples, direta, dirigida ao Pai Amado com devoção e respeito.

A única prece que ele ensinou foi a Oração Dominical, encontrada no *Evangelho* escrito por Mateus[4].

Vamos recordá-la:

"Pai Nosso que estás nos Céus,
Santificado seja o Teu nome!
Venha a nós o Teu reino!
Seja feita a Tua vontade, assim na Terra como
nos Céus.
O pão nosso de cada dia, dá-nos hoje.
Perdoa as nossas dívidas assim como nós perdoamos
aos nossos devedores.
Não nos deixes cair em tentação e livra-nos de
todo o mal.
Que assim seja!"

---

4. Mateus, 6: 9-13.

7 ❧ A ciência espírita

**"(...) A Ciência,
deixando de ser exclusivamente
materialista, deve levar em conta
o elemento espiritual (...)"**
(*O Evangelho Segundo o Espiritismo*, Cap. 1, item 8)

A CIÊNCIA É O estudo profundo de um determinado assunto. A ciência espírita tem como tema estudar a nossa alma, quando no corpo de carne, e o nosso espírito, quando já liberto desse corpo.

Assim como na escola a criança faz experiências para aprender observando a germinação da semente, também o Espiritismo propõe experimentações para observar o que nos acontece espiritualmente.

Todo esse estudo deve ser feito com seriedade para poder convencer o pesquisador.

EVANGELHO NO LAR
PARA CRIANÇAS DE **8** A **80** ANOS

O Espiritismo consegue provar que a vida não termina com a morte do corpo. Por isso, o espírita que estuda a sua religião e confia em Deus não tem medo da morte.

Morte é mudança, passagem para uma nova vida, em corpo diferente.

Diante do falecimento de um ente querido, sente-se muito, é claro, e as lágrimas demonstram nosso amor, se elas não forem de desespero e revolta.

A Doutrina Espírita apresenta evidências da existência de outro corpo, o perispírito, parecido com uma camada vaporosa que envolve o espírito, tal qual a película de uma semente (experimente descascá-la para verificar).

Ao morrer, deixamos o corpo de carne para despertar no mundo maior, no corpo espiritual, conforme o apóstolo Paulo explicava tão bem. E esse corpo espiritual é chamado no Espiritismo de perispírito.

Todos temos perispírito. A criança também. O seu tamanho é de acordo com a idade.

Se a criança deixa a Terra com cinco anos, por exemplo, despertará no mundo espiritual com essa mesma idade. Também crescerá em tamanho, no seu perispírito, embora a contagem do tempo, no plano espiritual, seja diferente da Terra.

É importante estudarmos a ciência espírita, desde pequenos, para trocarmos idéias com outras crianças e ensinarmos a justiça de Deus.

8 • A filosofia espírita

**"São chegados os tempos em que
as idéias morais devem se desenvolver (...)"**
(*O Evangelho Segundo o Espiritismo*, Cap. 1, item 9)

TODOS NÓS SOMOS um pouco filósofos: temos uma idéia e tentamos defendê-la.

Filosofia é o estudo de uma idéia da razão de ser, e a filosofia espírita estuda a imortalidade da alma.

Alma é o nome dado ao espírito que ainda vive no corpo de carne.

Espírito é a idéia desse corpo, é o que pensa, que ama, que decide, que ordena.

O espírito já existia antes do nascimento do corpo e também continuará vivendo após a morte do corpo físico.

Antes de nascer, o espírito habita o mundo espiritual. Ele tem uma morada determinada de acordo com a sua elevação.

Pode também aprender nas escolas espirituais e preparar-se para nascer no corpo de carne – ter uma encarnação.

Em cada encarnação, o espírito aprende, colocando em prática as instruções recebidas nas escolas espirituais. É por isso que existe maior facilidade de ele fazer uma coisa ou outra.

Reencarnação é o nome dado à volta do espírito em novo corpo. Todos nós temos muitas e muitas encarnações. Reencarnamos quantas vezes forem necessárias até aprendermos a amar o nosso próximo e a conquistar a sabedoria.

Portanto, a filosofia espírita nos ensina que:

- viemos a Terra para aprender e conquistar o progresso;
- viemos do mundo espiritual e voltaremos a ele;
- somos espíritos eternos criados para evoluir, isto é, crescer em busca de Jesus.

9 ❧ A realeza de Jesus

"Meu reino não é deste mundo"
JESUS (JOÃO, 18: 36)

O QUE É MAIS importante? A realeza terrena – um título de rei que só se desfruta na vida material – ou a realeza moral – que continua sobretudo a imperar depois da morte?

Quem conhece as palavras de Jesus sabe que a vida espiritual é infinita.

A vida material é apenas uma passagem, uma permanência, às vezes mais difícil, outras vezes mais fácil, de acordo com a paciência para enfrentarmos as dificuldades.

Todo sofrimento, para quem aceita Jesus, é de curta duração; após isso, situações mais felizes chegarão.

A calma de espírito abranda as amarguras.

Por terem dúvidas sobre a vida futura, há pessoas que sobrepõem os bens terrenos aos espirituais; logo, sofrem muito ao perdê-los, como a criança que perde um

brinquedo. Em caso contrário, quando estão acima dos valores materiais, conseguem vencer pacientemente, pois verificam que o coração está ligado mais aos valores do espírito.

Isso não quer dizer que o homem não deva procurar o bem-estar e melhorar todas as coisas no plano material. O progresso e a conservação vêm das próprias leis da natureza. Por isso, deve-se trabalhar por gosto, por necessidade, por dever, cumprindo a vontade de Deus, Nosso Pai.

"Deus não condena os gozos terrenos, mas o abuso desses gozos em prejuízo dos interesses da alma"[5].

A vida é um simples elo do conjunto da obra de Deus, Nosso Criador. Assim como os elos de uma corrente unem-se a outros para serem mais úteis e poderem servir melhor, a nossa vida está ligada a outras vidas, a outros seres. Um depende do outro. E, no auxílio mútuo, existe a fraternidade.

---

5. *O Evangelho Segundo o Espiritismo* (São Paulo: Petit Editora), 1997, Cap. 2, item 6. (N.M.)

10 ❧ Estações diferentes

"(...) os diversos mundos
estão em condições muito diferentes
uns dos outros (...)"
(*O Evangelho Segundo o Espiritismo*, Cap. 3, item 3)

VAMOS SUPOR que faremos uma longa viagem num comboio luminoso, parecido com um trem ou metrô da Terra. As passagens para excursionar serão adquiridas com o bônus da boa vontade e do desejo sincero de aprender as coisas de Deus.

Tudo pronto. Vamos assentar, escolhendo os lugares mais confortáveis, mas não nos esqueçamos do cinto de segurança: a prece.

O apito da máquina possante nos alerta para o início da grande viagem.

Estamos no espaço infinito!

Os trilhos dessa grande estrada localizam-se em altos e baixos. Ora nos elevamos, ora descemos, sentindo a diferença da atmosfera, devido às depressões.

O nosso comboio visitará várias estações das diferentes moradas dos diversos mundos.

Estação I – Mundos primitivos – Onde a alma humana encarna pela primeira vez.

Estação II – Mundos de expiação e de provas – Assemelham-se à Terra em adiantamento. Ainda existe o mal, devido à dureza do coração do homem. Há muita violência causando sofrimento e lágrimas.

Estação III – Mundos regeneradores – Há grande progresso, e as almas, necessitadas do aprendizado, adquirem novas forças, descansando das lutas e das dificuldades já vencidas.

Estação IV – Mundos felizes – Onde existem o bem e o amor sustentando as criaturas no exercício da verdadeira fraternidade.

Estação V – Mundos celestes ou divinos – Moradas dos espíritos purificados, onde o bem reina em sua totalidade.

Na viagem "faz-de-conta", sentimos a diferença do panorama em cada estação.

Essas paisagens retratam o coração daqueles que ali vivem.

O homem primitivo revela a infância do espírito e precisa aprender, pelo seu próprio esforço, a conquistar o progresso.

O homem encarnado na Terra – no mundo de expiação e de provas – encontra-se ainda no início da adolescência, isto é, da juventude do espírito, apesar de muitas vezes já ser velho, com muitos séculos de experiências.

O homem encarnado no mundo regenerador demonstra progresso moral, com traços de virtudes adquiridos com muita perseverança e sacrifício.

Nos mundos felizes, há felicidade quase perfeita. Faltam apenas alguns degraus de trabalho e esforço para a conquista da paz dos mundos celestes ou divinos.

Mas esses corações que conquistaram a paz não descansam. Trabalham continuamente, colaborando com o progresso dos espíritos em via de ascensão a uma ordem mais elevada.

11 — Em que mundo vivemos?

**"Os Espíritos encarnados em um mundo
não estão ligados indefinidamente a ele (...)"**
(*O Evangelho Segundo o Espiritismo*, Cap. 3, item 5)

VAMOS REGRESSAR da viagem para analisar as nossas condições de progresso:

– Será que é possível responder em que mundo está você estacionado?

– O que se deve fazer para atingir a categoria dos mundos felizes?

Reflita:

1. **Miséria**
   a) Moral: desonestidade, preguiça, indolência.
   b) Social: fome, falta de habitação e de educação.

2. **Violência:** homicídio, furto, roubo (à mão armada), estupro, desavença entre familiares e no trânsito.

3. **Enfermidade:** da alma e do corpo.

Você conhece outros problemas, além destes? Qual a solução?

12 ❧ Daqui não se sai enquanto...

"(...) o homem deixa a Terra para mundos mais felizes quando está curado de suas enfermidades morais (...)"
(*O Evangelho Segundo o Espiritismo*, Cap. 3, item 7)

UMA DAS PERGUNTAS do capítulo 11 foi feita para você responder onde está estacionado. Ora, logo você concluirá que é um mundo semelhante a um hospital, a uma penitenciária ou até mesmo a um vale de lágrimas.

De fato, os espíritos reencarnados na Terra estagiam em um local em que as aflições são maiores do que os prazeres.

A condição da humanidade terrena é de dor, sofrimento e aprendizado, quase que forçada, pois o espírito aqui encarnado expia (sofre o mal praticado no pretérito).

Lembramos que:

"...toda a humanidade não se encontra na Terra, mas apenas uma pequena fração dela. Porque a espécie humana abrange todos os seres dotados de razão que povoam os inumeráveis mundos do Universo."[6]

O homem só sairá da Terra para reencarnar em mundos elevados quando estiver curado de suas enfermidades morais.

Para isso, basta um esforço inicial de desejar melhorar-se e buscar vencer as imperfeições. Algumas delas, por exemplo, a preguiça, o egoísmo, a vaidade, a inveja, o ciúme...

---

6. *O Evangelho Segundo o Espiritismo* (São Paulo: Petit Editora), 1997, Cap. 3, item 7. (N.M.)

13 • Será um mundo encantado?

"Entretanto, esses mundos afortunados não são mundos exclusivos para alguns, pois Deus é imparcial para com todos os seus filhos."
(*O Evangelho Segundo o Espiritismo*, Cap. 3, item 12)

NAS CIVILIZAÇÕES adiantadas, a aparência física das pessoas é delicada, bela, a pele é mais fina, bem cuidada, pois não sofre tanto o rigor do clima.

Os costumes são sadios, devido aos cuidados com a higiene e aos recursos médicos.

Também se observa a diferença moral entre o selvagem, o bárbaro e o homem civilizado.

Se na Terra existem essas diferenciações que nos mostram a condição de progresso de cada povo, teremos nós meios de compará-la aos mundos superiores?

EVANGELHO NO LAR
PARA CRIANÇAS DE 8 A 80 ANOS

Nos mundos superiores já se atinge uma evolução moral e material.

A forma do corpo ainda continua a mesma, no entanto embelezada e purificada. Ele não está sujeito a doenças. É leve, aperfeiçoado, os órgãos dos sentidos muito mais desenvolvidos.

A leveza dos corpos faz com que se locomovam, se movimentem mais rápido, não se cansem, cheguem a deslizar no solo ou no ar, pelo esforço apenas da vontade.

Todos os que habitam os mundos superiores já passaram pelo aprendizado nos inferiores. Muitos conservam, de acordo com a vontade, traços de existências passadas. Assim, ao se apresentarem aos amigos em sua forma conhecida, fazem-no iluminados por uma luz divina. O rosto é cheio de vida e beleza; a luz interior que emanam é que dá a impressão de auréola (círculo luminoso ao redor da cabeça), que muitos pintores desenham ao retratar os espíritos puros, considerados santos na Terra.

Nos mundos superiores, o período da infância é abreviado e, em alguns, quase não existe.

A vida é bem mais longa, por estar de acordo com o adiantamento dos mundos. A morte não causa horror, mas, sim, uma transformação feliz, pois não existe dúvida quanto ao futuro.

Durante a vida, a alma goza de lucidez, permitindo a livre transmissão dos pensamentos.

E, a seguir, nossos objetivos (metas) para conseguirmos atingir a categoria dos mundos felizes:

1. Relações de povo para povo sempre amigáveis, não perturbadas pela ambição de domínio e pela guerra.

2. Inexistência de senhores e escravos; de nobres e plebeus.

3. Superioridade moral e intelectual caminhando juntas.

4. Autoridade originada do mérito, exercida com justiça, para ser sempre respeitada.

5. Aperfeiçoamento no estudo e nas atitudes. A busca da elevação acima de si mesmo e não sobre o próximo.

6. Libertação do ódio, do egoísmo, da inveja, do crime. Busca do sentimento de amor que une a todos na verdadeira fraternidade.

7. Conquista da posse material de acordo com a conquista moral e intelectual.

8. Auxílio dos mais fortes aos mais fracos. Ausência da miséria.

9. Implantação da caridade, para propiciar mesmos direitos e mesmas facilidades para todos.

10. Morada de Deus no coração do homem. Consolidação da fraternidade.

14 — Nossa Terra – nosso lar

"É assim que Deus, em sua bondade, torna o próprio castigo proveitoso para o progresso do Espírito."
(O Evangelho Segundo o Espiritismo, Cap. 3, item 15)

A TERRA É UM mundo de expiação e de provas.

Aqui estão reencarnados espíritos de várias categorias:

1ª categoria – Os que necessitam expiar, corrigir-se por intermédio da dor, do sofrimento, da renúncia. Muitos deles detêm bagagem intelectual e grandes experiências vividas anteriormente em outras reencarnações. Trazem consigo numerosos vícios que revelam a grande imperfeição moral.

2ª categoria – Espíritos saídos da infância espiritual – os selvagens – que não estão em expiação, mas se educando e desenvolvendo-se em contato com espíritos mais avançados.

3ª categoria – As raças semicivilizadas, formadas pelos selvagens já em progresso, que atingiram algum conhecimento intelectual dos povos mais esclarecidos.

4ª categoria – Espíritos em prova (mas não em expiação), que vêm testar a aprendizagem feita na erraticidade, quando nas estações de refazimento, ou que conquistaram condições de analisar suas falhas e compreenderam o melhor caminho para sua evolução.

A Terra, como mundo expiatório, é um lugar de exílio, de afastamento, de punição e, nessas mesmas condições, outros mundos também existem.

Muitos espíritos aqui exilados, afastados dos mundos felizes, têm de lutar contra a perversidade do homem, contra a diversidade do clima, contra as doenças, para desenvolver, de uma só vez, as qualidades do coração e da inteligência.

Deus não castiga ninguém. O próprio espírito é que se pune, tornando o castigo proveitoso ao seu progresso.

15 — Desejo de um mundo melhor

> "Os mundos regeneradores
> são intermediários entre os mundos
> de expiação e os mundos felizes (...)
> A palavra amor está inscrita
> em todas as frontes (...) todos
> reconhecem Deus e tentam ir até Ele,
> cumprindo-lhe as leis."
> (*O Evangelho Segundo o Espiritismo*, Cap. 3, item 17)

MAIS UMA ETAPA chega ao fim. O terceiro milênio chegou para os habitantes terrenos e com ele uma nova esperança – esperança de paz, de união, de alegrias.

Todos gostarão de poder continuar aqui encarnados, não é verdade? Para tanto, têm de cooperar para o mundo de regeneração que se aguarda instalar na Terra.

Muito será pedido a quem recebeu a semente do *Evangelho*.

Para o espírita cristão, que sente o convite de regeneração individual, há um grande trabalho a realizar – principalmente para a criança e o jovem participantes do movimento espírita. Jesus aguarda a colaboração de todos.

Vejamos as condições para que a Terra se transforme em mundo regenerador:

- eliminação do orgulho que endurece o coração, da inveja que tortura a alma e do ódio que destrói.
- implantação do amor na vivência e no exemplo.

No mundo regenerador ainda não existe a felicidade perfeita, mas a aurora da bem-aventurança está presente.

Nele, o homem ainda é carnal, tem um corpo físico. Tem provas a sofrer, mas não dolorosas como no caso da expiação.

Comparando com a Terra atual, o mundo regenerador é muito mais feliz. É como estância, pouso de paz e tranqüilidade.

Lá o homem compreende melhor a verdadeira vida – a espiritual. E para ela se prepara com alegria e muita coragem.

Mas ele não pode ficar estacionado. Sabe que "não avançar é recuar" e, se não estiver firme no caminho do bem, poderá retornar, como exilado, aos mundos de expiações, onde passará novamente por terríveis provas.

16 — A natureza não dá saltos!

"O progresso é uma das leis da Natureza."
(*O Evangelho Segundo o Espiritismo*, Cap. 3, item 19)

IMAGINEMOS A TERRA, o planeta que foi criado sob a proteção de Jesus – o Cristo.

O nosso orbe não foi criado em sete dias. A palavra "dias", nesse caso, representa períodos longos de sua criação.

Cada período constituiu-se de milhões de anos, quando tudo se foi desenvolvendo fase por fase.

A formação dos continentes, bem como das grandes massas oceânicas, requisitou muito trabalho dos mensageiros do Senhor.

Vagarosamente, foram surgindo os reinos da natureza, obedecendo à Lei do Progresso.

Assim surgiram os reinos mineral, vegetal e animal.

Nada é feito sem um objetivo pela bondade de nosso Criador.

Mesmo não havendo condição de aqui habitarem seres vivos, o planeta já era habitado por seres espirituais em estágio de aprendizado.

À medida que os espíritos progridem moralmente, o mundo em que se encontram aperfeiçoa-se materialmente também, pois nada fica estacionado.

É como se observasse um terreno árido, abandonado, transformar-se em um logradouro mais agradável, como um lindo parque arborizado, revestido de canteiros floridos e fontes luminosas.

A Terra está destinada à progressão material e moral. Os homens encontrarão nela a felicidade quando esta passar de mundo expiatório a mundo regenerador.

17 — Nascemos da água e do espírito

**"Ninguém pode ver o reino de Deus
se não nascer de novo."**
Jesus (João, 3: 3)
(*O Evangelho Segundo o Espiritismo*, Cap. 4, itens 1 a 3)

QUE RECADO CHEIO de esperança Jesus nos trouxe ao responder a Nicodemos, mestre em Israel, à sua pergunta: "Como pode um homem nascer sendo velho?"[7]

Jesus explica nitidamente: é preciso nascer de novo, em novo corpo de carne.

Essa passagem nos dá certeza da reencarnação sucessiva – nascer e renascer sempre, para podermos atingir o crescimento espiritual.

---

7. João, 3: 4.

"O que é nascido da carne é carne, e o que é nascido do espírito é espírito."[8] Essa afirmação mostra claramente que para a formação do corpo será preciso a união das sementinhas dos pais que determinarão todas as suas características: sexo, cor dos olhos, dos cabelos... Assim, o corpo gerado recebe a doação dos pais, mas o espírito não é criado no mesmo instante que o corpo. A ele se ligará o espírito desde o momento da sua concepção.

O espírito já existia e, provavelmente, deve ter tido muitas outras existências. Por isso, Jesus coloca com muita sabedoria: "O espírito sopra onde quer, e tu ouves a sua voz, mas não sabes de onde ele vem, nem para onde ele vai"[9].

Nicodemos não entendeu bem no momento. E Jesus lhe disse: "Tu és mestre em Israel e não sabes essas coisas?[10] ...nós dizemos o que sabemos e damos testemunho do que vimos, e vós, com tudo isso, não recebeis o nosso testemunho"[11].

Com a chegada da Doutrina Espírita, foi mais fácil entender as palavras de Jesus analisando-as por meio da fé raciocinada.

---

8. João, 3: 6.
9. João, 3: 8.
10. João, 3: 8.
11. João, 3: 10-11.

EVANGELHO NO LAR
PARA CRIANÇAS DE **8** A **80** ANOS

As perguntas feitas ao Espírito de Verdade trouxeram respostas que levaram os estudiosos a conclusões claras diante dos problemas do mundo.

"Aquele que não nascer da água e do espírito não pode entrar no Reino de Deus."

Ora, é fácil compreender que todo bebê é gerado dentro da proteção de uma bolsa d'água (líquido amniótico). No nascimento de uma criança, de forma normal, primeiramente, tem de ser rompida a bolsa d'água. E, de fato, todo indivíduo tem o seu corpo nascido da água.

O espírito foi criado por Deus, Pai Misericordioso, justo e bom. Portanto, é impossível alguém na Terra poder criar o espírito – daí a colocação de Jesus.

O Mestre afirma-nos o princípio da preexistência da alma, ensinando-nos que ela já existia antes de se ligar ao corpo físico.

Confirma também a pluralidade das existências, segundo a qual o mesmo espírito passa por mais de uma existência, vivida em variados corpos de carne, até conseguir atingir o reino dos Céus, fruto do merecimento conquistado por meio do trabalho, esforço e valores intelectuais e morais.

18 — Nascer na Terra e renascer no mundo espiritual

> "A reencarnação é o retorno da alma
> ou Espírito à vida corporal (...)"
> (*O Evangelho Segundo o Espiritismo*, Cap. 4, item 4)

QUANDO ESTUDAMOS o *Evangelho*, observamos a confusão que a palavra ressurreição provoca em razão da falta de um estudo sério.

Na época de Jesus, os judeus, principiantes ainda nos conhecimentos espirituais, aceitavam a possibilidade da ressurreição. Segundo eles, o espírito podia voltar a viver no mesmo corpo, até mesmo se estivesse em estado avançado de decomposição.

A Doutrina Espírita veio esclarecer esse ponto.

A ressurreição pode ser entendida no caso de Jesus, que morreu para a Terra e ressurgiu no corpo espiritual, belo e imperecível.

A reencarnação é a volta do espírito a um novo corpo, sem nenhuma relação com o antigo, formado para o espírito viver uma nova vida.

Vejamos agora, referindo-se a João Batista, conforme Jesus nos colocou:

"Elias certamente há de vir, e restabelecerá todas as coisas: digo-vos, porém, que Elias já veio, e eles não o conheceram, antes fizeram dele quanto quiseram. Assim, também o Filho do Homem há de padecer em suas mãos. Então compreenderam os discípulos que era de João de Batista que Ele lhes falara"[12].

Reencarnação é que sucedeu a João Batista, isto é, Elias, reencarnado em novo corpo.

Todas as idéias novas, para serem aceitas, têm de enfrentar muitos transtornos e aborrecimentos, principalmente numa época em que ainda não se acreditava na possibilidade da continuação da vida após a morte. Como seria possível aceitar uma outra vida depois do retorno do espírito à pátria espiritual?

---

12. Mateus, 17: 11 a 13.

Quem se encontra na Terra já viveu e viverá muitas outras vezes.

Para atingir o grau de evolução total, o espírito necessita renascer para progredir sempre. Geralmente esse renascimento se dá em determinado globo, e a evolução aí se processa acompanhando também o progresso material e moral das civilizações a que ele está ligado.

É importante perceber: o corpo orgânico é criado pelo corpo, mas o espírito já existia antes e continuará existindo sempre.

19 ❧ O reino dos Céus pode estar nos nossos corações

"(...) pelo ensinamento da
lei de Jesus, ganha-se o Céu pela
caridade e doçura."
(*O Evangelho Segundo o Espiritismo*, Cap. 4, item 11)

TODOS DESEJAMOS conquistar o reino dos Céus, mas sabemos ser com total sacrifício das próprias vaidades que nos candidataremos a desfrutar a paz do mundo espiritual.

Lembramos que o reino dos Céus precisa ser muito bem entendido como um estado de elevação do espírito – centelha de luz que continuará brilhando pela eternidade.

Ele não poderá ser tomado como um reinado do mundo, repleto de palácios e tronos.

Esse estado representa trabalho contínuo para seus habitantes – espíritos que atingiram um grau de perfeição e passaram, assim, a colaborar na grande obra do Criador, no reerguimento dos homens na busca da perfeição.

Em todos os tempos, a conquista desse reino tem se processado de muitas formas, principalmente pela violência.

Muitos foram sacrificados. Dentre eles, João Batista, que foi decapitado em virtude de suas pregações não serem aceitas na época, pois a energia de seu caráter não apoiava a corrupção de costumes.

João Batista era um profeta, um médium. Por intermédio dele, os espíritos do Senhor, encarregados de despertar a humanidade, falavam.

No *Evangelho* de Mateus[13], Jesus tornou a confirmar que João Batista era o Elias que havia de vir, conforme enunciado nas Escrituras. João Batista era Elias reencarnado.

Quando o Mestre falava "o que tem ouvidos de ouvir ouça"[14], sabia de imediato que nem todos estavam à altura de entender o fenômeno da reencarnação, mas

---

13. Mateus, 11: 12-15.
14. Mateus, 11: 15.

deixava os seus ensinos para que, mais tarde, a inteligência, desenvolvida pelo esforço e estudo do homem, viesse a analisar e a compreender certas verdades.

20 ❧ Nova vida por meio da reencarnação

"Aqueles que do vosso povo morreram,
viverão novamente (...)"
(*O Evangelho Segundo o Espiritismo*, Cap. 4, item 12)

EM ISAÍAS TAMBÉM está clara a sua confiança na imortalidade da alma, isto é, os mortos poderiam retornar em outro corpo para continuação do aprendizado na Terra. Ressuscitariam no plano espiritual após a morte física e depois retornariam em uma nova vida, pela reencarnação.

Essa certeza afasta a possibilidade das penas eternas, pois Deus criou Seus filhos para o progresso e não para a condenação a um sofrimento eterno.

A afirmação feita por Isaías – "habitais no pó, porque o orvalho que cai sobre vós é orvalho de luz"[15] – dirige-se a

---
15. Isaías, 26: 19.

todos nós ainda ligados à Terra e ao corpo físico, revela as bênçãos de Deus caindo sobre os reinos da natureza sábia (mineral, vegetal e animal) e exemplifica o amor do Criador, despertando o homem arruinado pelo egoísmo.

"Arruinareis a Terra e o reino dos gigantes."[16] Quem se compraz no vício, tem a sua vida de prazer material. O reinado dos gigantes da vaidade, do orgulho, da cobiça e da inveja, arruína-o também.

---

16. Isaías, 26: 19.

21 ❧ Os laços de família continuam

"Os laços de família não
são destruídos pela reencarnação,
tal como pensam algumas pessoas.
Ao contrário, são fortalecidos e
entrelaçados. O princípio oposto,
sim, é que os destrói."
(O EVANGELHO SEGUNDO O ESPIRITISMO, CAP. 4, ITENS 18)

COMO É CONSOLADORA a certeza do amor que une uma família e não se destrói com a morte do corpo!

Os espíritos continuam unidos, mesmo separados momentaneamente pela diferenciação da matéria.

A mãezinha que teve o filho ceifado pela morte terá a alegria de reencontrá-lo, mesmo antes de passar também pelo fenômeno da desencarnação.

Por meio do pensamento, poderá sintonizar-se com ele e, no momento do sono, poderá desligar-se da matéria e visitá-lo num passeio sideral.

Assim também acontece com a família espiritual, cujos membros nem todos estão reencarnados na Terra. A afinidade continua. Existe o mesmo carinho alimentado. Para o espírito, a encarnação representa uma viagem, que não podemos fazer ao mesmo tempo.

Os que ficam na espiritualidade velam e oram por aqueles que partem, aguardando o regresso para desfrutarem as alegrias conjuntas. Mas nem todos podem merecê-las. Existem os que retardam a possibilidade de se reunir no plano espiritual com os espíritos afins, pois, nos roteiros escolhidos de muitas dores e insucessos, comprometem-se mais e mais, assumindo responsabilidades e dívidas que necessitam ser reparadas. Sofrem e choram muito e quando descobrem a existência de caminhos mais fáceis para prosseguir, adotam-nos, escolhendo a simplicidade e a humildade como norma de conduta.

Os espíritos afins, familiares ou amigos, que permanecem aguardando, no plano espiritual, o momento feliz do reencontro de formas diversas estão auxiliando sempre os que aqui ficaram.

22 — Principais aspectos dos laços de família

"Com a pluralidade
das existências, (...) existe a
certeza de que as relações
entre aqueles que se amaram
não se interrompem (...)"
(O Evangelho Segundo o Espiritismo, Cap. 4, item 23)

ANALISEMOS AGORA os laços de família dentro de quatro aspectos:

Do materialismo – o nada, depois da morte do corpo físico. Como poderão os laços de amor, carinho e amizade terminar com a morte? Por que então tanta luta na Terra: estudar, formar família e, depois, tudo acabar na laje fria do cemitério?

Do panteísmo – absorção no todo universal. Seria possível aceitar que aqueles a quem tanto amamos passem, após a morte, a integrar o todo universal, ou a atmosfera, confundindo-se no espaço com elementos químicos, perdendo a sua individualidade?

Da Igreja – conservação da individualidade com fixação definitiva após a morte – inferno ou paraíso – de acordo com as ações praticadas.

Será que uma mãezinha poderá aceitar a sua estada no Céu se o seu coração ainda estiver ligado ao filho ingrato que sofre nas trevas? E a justiça de Deus? Será o Seu castigo de forma severa, sem dar chances para o reerguimento? Lembremos as palavras de Jesus: "Assim também não é vontade de nosso Pai, que está nos Céus, que um destes pequeninos se perca"[17]. E do rebanho de Jesus fazem parte todos os espíritos do planeta Terra.

Do Espiritismo – conservação da individualidade, com o progresso infinito.

Nos quatro aspectos analisados, é esse, o da Doutrina Espírita, que mais fortalece os laços de família.

---

17. Mateus, 18: 14.

Enche de esperança o coração que ama. A certeza da imortalidade do espírito – centelha divina – que, mesmo morto o corpo, continua ligado àqueles que lhe querem bem.

Compreendemos, assim, que não há perigo de perdermos, nas encarnações sucessivas, os liames de carinho e amizade dos espíritos afins.

Com a pluralidade das existências, o grupo familiar retorna ligado entre si de diversas maneiras, sempre obedecendo aos laços de amizade que necessitam ser trabalhados para a libertação da inferioridade de cada um.

Muitas vezes, o egoísmo que cega faz imaginar que o amor não possa ser expandido para uma parentela maior. Mas não se preocupem: não há perigo de se encontrar no plano espiritual, por exemplo, dez mães, ou dez esposas, disputando a posse dos filhos ou dos maridos. Existe um encadeamento perfeito no planejamento divino. O próprio indivíduo, ao defrontar com a maravilha da justiça de Deus, consegue analisar a perfeição do Seu amor na organização da família.

23 — A durabilidade das afeições espirituais

> "Deve-se entender
> que se trata aqui da verdadeira
> afeição de alma a alma,
> a única que sobrevive à destruição
> do corpo (...)"
> (*O Evangelho Segundo o Espiritismo*, Cap. 4, item 18)

A AFEIÇÃO ESPIRITUAL difere das afeições puramente carnais.

Muitos se unem na Terra movidos por interesses materiais ou para solucionarem situações momentâneas, fruto de erros cometidos por abusos da autoridade ou por decisões precipitadas.

Essas uniões são originadas do próprio desequilíbrio ou do mau uso do livre-arbítrio – da livre vontade.

Deus nos dá a liberdade de escolha, escolha essa que Ele respeita; mas a Sua justiça, cheia de misericórdia, permite os consertos e reparações das falhas cometidas.

Nas uniões apenas materiais, a morte separa as almas tanto na Terra como no Céu.

Muitas oportunidades são oferecidas a espíritos não-afins de reencarnarem numa família unida pelos laços espirituais. Têm, essas encarnações, a finalidade de servirem de prova para uns e de meio de progresso para outros.

Os maus, em contato com os bons, depuram-se. Os exemplos dos familiares, a dedicação e o sacrifício de muitos abrandam o caráter, depuram os costumes e fazem desaparecer as antipatias. O progresso, então, se realiza.

Os laços de família fortalecidos no bem unem os corações na escalada evolutiva.

24 ❧ Encarnação sem fronteiras definidas

> "Portanto, depende do próprio
> Espírito libertar-se mais ou menos
> rapidamente da encarnação,
> trabalhando por sua purificação."
> (*O Evangelho Segundo o Espiritismo*, Cap. 4, item 24)

A ENCARNAÇÃO NÃO tem limites traçados. Pode-se reduzir a quantidade pelo esforço e pela compreensão dos problemas; ou ampliá-la, pela teimosia de se permanecer com vícios e caprichos, que tornam o homem sujeito a repetir as provas por não saber desempenhá-las bem.

À medida que o espírito se purifica, o envoltório material também se aperfeiçoa. Nos mundos mais elevados do que a Terra, esse envoltório é mais perfeito e menos sujeito às vicissitudes do meio.

Em cada mundo, o envoltório material, para encarnação do espírito, está sujeito à natureza desse mesmo mundo.

O corpo espiritual, que chamamos de perispírito, também vai se aperfeiçoando conforme o espírito evolui.

A encarnação num corpo mais denso, mais pesado, limita-se aos mundos inferiores, como ainda o é o planeta Terra.

Todo aquele que trabalha pela sua purificação está se libertando mais rapidamente da encarnação em que as provas são mais difíceis e dolorosas.

É como se olhássemos uma encruzilhada. De um lado, caminho tortuoso, largo, convidativo. De outro, caminho reto, estreito e com obstáculos difíceis de serem superados.

Quando se estagia na fase de conhecer Jesus, analisando o seu *Evangelho*, ainda se vive sem programa definido.

Uma fase seguinte apresenta-se: a de seguir Jesus. Vislumbram-se o esforço e o estudo.

Ao se atingir a fase de sentir Jesus, há uma remodelação total dos conceitos. Há capacidade de renúncia e sacrifício.

Depende, portanto, do livre-arbítrio de cada um. A escolha é individual, mas a misericórdia de Deus é coletiva.

Como somos espíritos matriculados no planeta Terra, acompanhamos pelos séculos afora a sua evolução, evoluindo ou estacionando de acordo com o nosso esforço e a nossa vontade.

25 — O porquê da reencarnação

"Será a encarnação uma punição e somente os Espíritos culpados estão sujeitos a ela?"
(O EVANGELHO SEGUNDO O ESPIRITISMO, CAP. 4, ITEM 25)

É NECESSÁRIA a passagem dos espíritos pela vida corpórea.

Deus, em Sua justiça, dá a todos as mesmas condições, as mesmas aptidões e a mesma liberdade de ação.

Não dá privilégios a ninguém, pois isso seria preferência, o que afastaria Sua justiça.

A encarnação é um estado transitório em que o espírito vai fazer uso de sua vontade, de seu livre-arbítrio.

Se usar mal a sua liberdade, ele retarda o seu progresso e sujeita-se a prolongar indefinidamente a necessidade de reencarnar-se.

Deus não castiga ninguém. O espírito, usando mal a sua vontade, imita o aluno negligente, obrigado a repetir as lições nas quais foi reprovado pela falta de esforço.

A reencarnação do espírito no mesmo globo possibilita o fortalecimento dos laços de família dentro dos ensinamentos de solidariedade, fraternidade e igualdade. Isso não impede que a encarnação possa se dar em outros mundos, mas os espíritos estarão sempre sujeitos ao grau de adiantamento e às próprias necessidades de aprendizado e de reparar suas faltas recíprocas, pelas encarnações no mesmo globo. "Deus, cujas leis são todas soberanamente sábias, nada fez de inútil"[18].

---

18. *O Evangelho Segundo o Espiritismo* (São Paulo: Petit Editora), 1997, Cap. 5, item 26. (N.M.)

26 ❦ Analisando as aflições

"Quantos homens caem por causa
de sua própria culpa!"
(*O Evangelho Segundo o Espiritismo*, Cap. 5, item 4)

AS AFLIÇÕES DA vida podem ter duas causas: uma atual, referente à vida presente; e outra, remota, relacionada a outras reencarnações.

Costumeiramente, ouve-se dizer: "*se eu tivesse feito ou deixado de fazer tal coisa, não estaria nesta situação*"[19].

Há sofrimento em virtude da própria culpa da pessoa. Muitas lágrimas são derramadas pela imprevidência, pelo orgulho, pelas decisões precipitadas!

---

19. *O Evangelho Segundo o Espiritismo* (São Paulo: Petit Editora), 1997, Cap. 5, item 4. (N.M.)

Situações difíceis originam-se da preguiça, da falta de ordem e perseverança, do mau comportamento ou do descontrole dos desejos.

Uniões infelizes são realizadas precipitadamente por interesses materiais ou por aparentemente solucionarem as situações.

Quantos filhos desnorteados escolhem o caminho dos vícios por lhes faltar, desde pequenos, a orientação dos pais que os encaminhasse, combatendo-lhes as más tendências e eliminando-lhes do coração os germens do orgulho, do egoísmo e da vaidade?

"O homem é, assim, num grande número de casos, o autor de seus próprios infortúnios."[20]

Somente a reforma de costumes num trabalho contínuo para o adiantamento moral e intelectual nos abreviará os sofrimentos e nos preparará melhor para a felicidade futura.

---

20. *O Evangelho Segundo o Espiritismo* (São Paulo: Petit Editora), 1997, Cap. 5, item 4. (N.M.)

27 ❧ Esquecimento do passado é a medida salutar!

> "Se Deus julgou conveniente
> lançar um véu sobre o passado,
> é porque isso deve ser útil."
> (O EVANGELHO SEGUNDO O ESPIRITISMO, CAP. 5, ITEM 11)

DEUS DÁ AO espírito encarnado a voz da consciência e as tendências instintivas.

Com a voz da consciência em ação, o homem alerta-se com todos os percalços que encontrará na escolha deste ou daquele caminho. Do mesmo modo, ele traz gravadas as tendências instintivas, que o levam a tomar determinadas decisões.

A encarnação é um ponto de partida para o espírito iniciar uma jornada de esforço e trabalho para sua redenção.

O esquecimento do passado nos capacita a iniciar nossa trajetória terrena sem mágoas ou dissensões, possibilitando-nos partir para a formação de um clima emocional novo.

Encontraremos, nos companheiros, os afins e os não-afins do passado. O esquecimento da vida anterior possibilita a aproximação da vítima do algoz, sem que haja a lembrança das más ações cometidas por ambos.

"O esquecimento só existe durante a vida corpórea"[21]. Ao retornar ao mundo espiritual, lentamente o espírito vai assenhorando-se dos fatos anteriormente vividos, à medida que isso venha a beneficiar-lhe o crescimento espiritual, ao analisar o porquê das aflições terrenas.

Também no estado de afastamento do corpo físico durante o sono, pode-se, nessa interrupção momentânea da vida corpórea, reviver fatos de encarnações anteriores, os quais serão tomados como sonhos.

---

21. *O Evangelho Segundo o Espiritismo* (São Paulo: Petit Editora), 1997, Cap. 5, item 11. (N.M.)

28 — Resignação não é acomodação

> "O homem pode suavizar ou agravar
> a amargura de suas provas pela maneira
> de encarar a vida terrena."
> (O Evangelho Segundo o Espiritismo, Cap. 5, item 13)

O ESPÍRITO QUE busca os ensinamentos de Jesus e os pratica tem motivos de resignação diante dos infortúnios.

Ele sabe que resgata dívidas do passado, quando infringiu as leis sábias do Criador, e encontra, agora, a corrigenda que a própria vida lhe oferece.

O devedor aproveita a oportunidade de pagar uma dívida alta com um desconto grande, por isso, esforça-se para enfrentar todas as dificuldades e se ver livre do débito.

De outra forma, se ainda contraímos outras dívidas, acumulamos resgates mais graves de serem liberados.

EVANGELHO NO LAR
PARA CRIANÇAS DE **8 A 80** ANOS

Diante da dor, relutamos, desgastamo-nos orgânica e mentalmente. A rebeldia, a mágoa, a teimosia prejudicam o cumprimento da prova, facultando maior sofrimento.

O coração resignado diante dos testemunhos dolorosos da existência beneficia-se com a calma e a aceitação dos problemas, condicionando o espírito a superar, com paciência, os testes infligidos pela Lei de Causa e Efeito.

Portanto, o alerta do Mestre, a respeito das bem-aventuranças dadas ao aflito que soube vencer suas aflições, testemunhando a mansidão, oferece o consolo capaz de acalmar as chagas da alma, preparando-a para a liberação total da dívida.

Muito será dado ao estudioso do Espiritismo disposto a exemplificar a lição do Cristo no dia-a-dia, na conduta reta e cristã. Quem conhece a mensagem, mas a prega somente para os outros, muito lhe será pedido.

29 ❧ Sincronia perfeita, mente sã em corpo são

"Portanto, aquele que está certo
de ser infeliz apenas por um dia,
e de serem melhores os dias
seguintes, exercita a paciência."
(O Evangelho Segundo o Espiritismo, Cap. 5, item 15)

A FÉ NA VIDA futura, a calma e a resignação dão ao espírito condições novas para enfrentar os fatos difíceis do caminho e servem de prevenção contra o suicídio e a loucura.

O espírito estudioso conscientiza-se da continuidade da vida após o túmulo, com o desaparecimento das dores e com o nascer de um novo dia, em uma nova dimensão.

A lei sábia do Pai, que a tudo governa, não pode ser desrespeitada. Compreendemos, assim, os desígnios dessa lei e, portanto, não poderemos ser juízes de nós mesmos, exterminando a própria vida.

Quem se suicida tem aumentados os seus desgostos e não pode usufruir da paz e das alegrias do reencontro com os entes queridos no plano espiritual. Por isso, esforcemo-nos por merecer esse momento. A paciência e a misericórdia de Deus nos darão essa ventura.

O socorro da desobsessão tem diminuído os casos de candidatos ao suicídio e à loucura, pois trabalha cada coração para a reforma interior, facultando uma vivência evangélica diária, sublimando pensamentos para uma conduta irrepreensível.

Em casos de loucura ou suicídio motivados pela inconsciência do indivíduo, influenciados por obsessores, a misericórdia divina atua como compressa balsamizante, dando condição de reerguimento ao aflito, que buscará, em provas expiatórias benéficas, o ressarcimento da dívida pretérita.

Por outro lado, o espírito responsável por tal cometimento terá resgates dolorosos a cumprir, em futuro próximo.

30 ❧ Expiação é prova mas nem toda prova é expiação

*"O homem nem sempre
é punido, ou completamente punido
em sua existência presente,
mas nunca escapa às conseqüências
de suas faltas."*
(O Evangelho Segundo o Espiritismo, Cap. 5, item 6)

QUANDO SENTIMOS o pulsar da mensagem de Jesus e já começamos a analisar o porquê de nossas dores e aflições, iniciamos nossa caminhada progressiva.

Descobrimos que as aflições inexplicáveis nesta vida, dentre elas a perda de entes queridos, de fortuna sólida, as calamidades públicas e outras mais, relacionam-se com fatos individuais e coletivos cujas origens estão em vidas anteriores.

EVANGELHO NO LAR
para crianças de **8** a **80** anos

Diante dessas causas, a comodidade em analisar como fatalismo deve ser evitada, pois a bondade de Deus dá condições de melhorar, a cada dia, as situações impostas, testemunhando a capacidade de cada espírito em solucionar os seus problemas.

Não existe o destino cego: o homem pode melhorar a sua trajetória de vida. Deus, Pai Misericordioso, em Sua justiça, fornece campo de crescimento para todos.

Diante da perda do ente querido, a fatalidade é costumeiramente apontada, entretanto a lei se faz presente trabalhando o coração dos familiares para a aceitação do fato e a busca da compreensão dos porquês que levaram a essa prova, bem como para o estudo da imortalidade da alma, dando a esperança de um reencontro no mundo maior.

O caso de perda de fortuna sólida, que se desfaz repentinamente, sem aproveitamento de ninguém, reflete a incapacidade demonstrada em outras existências na manipulação dos bens, que não beneficiaram coletivamente, como deveriam, grande número de pessoas.

Nas calamidades coletivas, inúmeras vezes as provas servem de alerta aos governantes, para cuidarem com mais critério do planejamento das obras públicas, no tocante ao saneamento básico, buscando medidas profiláticas de higiene, evitando, assim, epidemias.

As catástrofes, os terremotos e demais fenômenos da natureza, em que não há possibilidade da ação socorrista do homem, também são efeitos relacionados às causas anteriores, convidando a todos ao estudo das leis de Deus, cuja justiça infinita faculta o resgate coletivo das violências cometidas no passado.

Vândalos de outrora, integrantes de hordas de bárbaros que violentavam e matavam populações humildes e tranqüilas, invadindo suas aldeias para saquear, hoje retornam ao cenário da vida, como vítimas inocentes, sofrendo a mesma violência.

A desgraça, imerecida aparentemente, tem uma razão de ser, e todo coração que a sente está convidado a dizer: "Perdoai-me, Senhor, porque um dia eu errei!".

Cada um sofre na medida em que fez sofrer ou de acordo com a sua escolha.

A justiça de Deus nunca falha; quem conseguir analisar as calamidades dentro de um todo, encadeando-as a outras reencarnações, compreenderá a bondade do Pai dando oportunidades para o resgate das faltas cometidas.

Somente pedir perdão verbal não basta! A escolha consciente de caminhos para levar o espírito arrependido ao pagamento de suas faltas demonstra sinal de progresso.

A reparação do erro cometido é o perdão que a justiça e a bondade de Deus nos oferecem.

Nem sempre sofrimento é fruto de uma falta. Trata-se, muitas vezes, de prova escolhida pelo espírito para seu próprio adiantamento.

"A expiação serve sempre de prova, mas a prova nem sempre é expiação."[22]

Expiação e prova demonstram a inferioridade do espírito a ser trabalhada.

Há espíritos que escolhem testes para medir, com resignação cristã, as maiores dores, sem reclamar, buscando na confiança em Deus a proteção para seguirem em frente. São espíritos sem dívidas, mas, voluntariamente, escolhem provas difíceis, intercedendo por outros afins, necessitados de expiar, em encarnações compulsórias, as faltas cometidas no passado. É o caso de mães que se santificam, já na Terra, pela doação, renúncia e sacrifício a filhos enfermos, agressivos ou maus.

A ninguém é dado aspirar à felicidade enquanto estiver cheio de imperfeições.

As provas bem suportadas fazem progredir; as expiações, quando bem aceitas, apagam as faltas cometidas.

---

22. *O Evangelho Segundo o Espiritismo* (São Paulo: Petit Editora), 1997, Cap. 5, item 9. (N.M.)

Provas e expiações são remédios que curam as chagas da alma; e quando as feridas forem mais graves, o remédio deverá ser sempre mais forte.

A resignação torna proveitoso o sofrimento, que se transforma em degrau de ascensão e crescimento espiritual para Deus.

31 — Carregar a cruz com dignidade!

"Jesus vos disse muitas vezes
que não se colocava um fardo pesado
sobre ombros fracos (...)"
(*O Evangelho Segundo o Espiritismo*, Cap. 5, item 18)

"BEM-AVENTURADOS os aflitos, porque deles é o reino dos Céus."[23] É o alerta de Jesus para sofrermos pacientemente as provas necessárias ao nosso adiantamento espiritual. Esse chamamento destina-se não ao homem revoltado nem ao desanimado, mas sim ao espírito firme no propósito de aceitar as dificuldades da vida, de vencê-las. Devemos agradecer a Deus a oportunidade de sermos testados pelo sofrimento. Por isso, bem ou mal, sofrer depende da

---
23. Mateus, 5: 4.

nossa aceitação, pois o sofrimento recebido com revolta não tem, ao findar, o mérito do consolo da paz.

Coragem na dor e no testemunho é caminho para a consolação de Deus. A fé divina conquista a coragem e, como sustentáculo da coragem, tem-se a prece.

Mas a prece não basta por si só, se não estiver apoiada numa fé raciocinada.

Quantas vezes o homem se desespera e ora repetidamente. Acredita na resolução do problema pela quantidade de orações, mas se elas não expressarem a convicção, se só forem balbuciadas pelos lábios, não encontrarão nunca ressonância na alma.

A vida está cheia de tribulações e vencendo-as encontraremos a recompensa. "Tendes ouvido freqüentemente que Ele não põe um fardo pesado em ombros frágeis."[24] Somos testados na medida em que nosso próprio espírito suporta.

Um militar num campo de batalha só será promovido caso se empenhe para vencer a luta. Assim também o espírito encarnado, ao passar pelas provas terrenas sem o esforço de superá-las, é como o soldado que nada faz para subir de posto.

---

24. *O Evangelho Segundo o Espiritismo* (São Paulo: Petit Editora), 1997, Cap. 5, item 18. (N.M.)

Quando a dor e a contrariedade atingirem o nosso coração e conseguirmos dominar os impulsos da cólera, da impaciência, do ódio ou do desespero, então tudo venceremos e nos sentiremos mais fortes.

Portanto, bem-aventurados os aflitos que provam a fé, a firmeza, a perseverança e a submissão à vontade de Deus, pois estarão se candidatando às alegrias escassas na Terra e ao repouso produtivo no Céu.

32 ❧ A fé é o remédio certo

"O mal e o remédio"
(*O Evangelho Segundo o Espiritismo*, Cap. 5, item 19)

DIANTE DA DOR que atinge os lares, muitos corações se revoltam contra Deus, pois só O entendem quando as glórias da Terra os revestem, ou quando tudo lhes sorri.

Não compreendem ainda ser o nosso orbe terrestre a escola bendita, um vale de lágrimas e de sofrimento para o espírito errante e endividado. O que aparentemente é um mal, nada mais é que a providência divina encaminhando o remédio amargo, impedindo a alma de recaídas perigosas no caminho do vício. A luta contra os males físicos e morais será gloriosa se soubermos aceitar o remédio amargo da cura, do equilíbrio, do ensinamento e do reerguimento.

Quando o desespero dominar a nossa alma, procuremos sondá-lo. Quem sabe, analisando-o nas engrenagens sutis, encontraremos o convite da busca dos ensinos de Jesus e do entendimento das provas escolhidas pela própria vontade.

Lancemos um olhar ao firmamento e sentiremos nas miríades de estrelas, no seu cintilar, uma promessa do olhar generoso do Pai, desprendendo vibrações de luz para a busca da esperança. A fé é o remédio certo. Ela transporta as montanhas das dificuldades e conquista a proteção aos que sofrem e choram.

33 ❧ Felicidade...

**"Não sou feliz!
A felicidade não existe para mim!"**
(*O Evangelho Segundo o Espiritismo*, Cap. 5, item 20)

QUANTAS VEZES o homem se desespera sem encontrar a felicidade para amenizar as aflições da alma.

Nem a beleza física da juventude, nem a riqueza, nem o poder trazem ao homem o estado interior da felicidade total.

Muitos perguntam: por que a Terra é ainda um educandário onde as lições são aprendidas por meio de lágrimas?

Os espíritos aqui reencarnados passam pelas provas da inquietação, do trabalho, da miséria, do sofrimento e do desengano.

Em vão, os materialistas procurarão explicar os problemas. Enquanto não encontrarem campo para o estudo das vidas sucessivas, permanecerão iludidos, pois pregam que a Terra é a única morada dos espíritos.

Já é tempo de as consciências se abrirem às pesquisas e às análises profundas dos problemas do ser e da dor. E, ao sentirem o alerta dos ensinos do Mestre de Amor, compreenderão as muitas moradas da Casa do Pai. Jesus está nos ensinando a buscá-las para entendermos que nem todas são locais destinados exclusivamente à dor. Existem aquelas em que o espírito revestido temporariamente do invólucro material pode desfrutar a paz e conquistar o aprendizado para o progresso destinado a todos por Deus.

Avante, espíritas conscientes, chamados à tarefa de redenção do homem velho e da conquista do homem novo em moralidade. O trabalho nos espera. Sulquemos, com os esforços das próprias mãos, o terreno árido da ignorância. Enxuguemos com o lenço da esperança as lágrimas dos irmãos em sofrimento. Esforcemo-nos para desbravar as selvas brutas do autoritarismo. Doemo-nos na grande tarefa da semeadura da fé raciocinada.

E deixemos o trabalho a serviço de Jesus tanger as cordas sutis de cada ser. Harmonizados no supremo bem, que possamos cantar a sinfonia da caridade aos deserdados do caminho.

34 — Perdas? Não. Viagem antecipada...

> **"Aquele que morre na flor da idade não é vítima da fatalidade; é que Deus julga que não lhe é útil passar maior tempo na Terra."**
> (*O Evangelho Segundo o Espiritismo*, Cap. 5, item 21)

FALAR AO IRMÃO que sofre a dor da perda de um ente querido, em momento de desequilíbrio, representa utopia. Transmitir o magnetismo reconfortante pela prece fervorosa é o remédio mais eficaz na hora do testemunho.

Somente os corações enlutados pela intensidade da dor da separação do ser que lhe serviu de arrimo ou alegria na vida poderão retratar o vácuo que precipita a alma no despenhadeiro do sofrimento.

É para eles a mensagem consoladora do Mestre Amado. Ela traz o bálsamo da esperança e o direcionamento

EVANGELHO NO LAR
para crianças de 8 a 80 anos

para se sentirem atuantes na Terra, coordenarem a vida e tornarem-se úteis novamente aos corações afins que os rodeiam.

Feliz o homem cuja convicção espírita cristã lhe norteia a existência. Para ele, o testemunho também chega, mas o desespero não o consome. O conhecimento das leis justas e sábias do Criador concede-lhe a resignação necessária evitando desequilíbrio. Compreende o planejamento de tempo de vida próprio, sujeito ainda às imposições do livre-arbítrio, que comanda a liberdade de escolha.

Ele aceita, sem revolta, o retorno prematuro do ente amado ao mundo espiritual, entendendo que as lições sábias da natureza se encerram para aquele que não mais tem necessidade de assimilá-las.

Sente o convite para a meditação dos grandes porquês da vida e descobre que os interesses passageiros e materiais, antes colocados em primeiro plano, passarão para o último lugar.

Uma busca e uma insatisfação constantes comandam os ideais da criatura testada pela providência divina. Mas quando ela encontra a orientação bem direcionada num templo espírita cristão e a força magnética nos recursos da fluidoterapia, novo alento envolve a sua alma. A confiança a reergue, pois sabe que Deus lhe trará respostas às suas indagações.

A perda de entes queridos e as mortes prematuras passam a ter significados diferentes – uma separação momentânea, uma mudança apenas para outra esfera onde, segundo o apóstolo Paulo, o espírito se revestirá do corpo espiritual, que "vem depois"[25].

---

25. 1º Coríntios, 15: 46.

35 — Misericórdia para despertar os violentos

"**Habituai-vos a não julgar aquilo
que não podeis compreender (...)**"
(*O Evangelho Segundo o Espiritismo*, Cap. 5, item 22)

A AFLIÇÃO PODE ter origens diversas. Nem todas são ocasionadas pelas provas escolhidas pelo espírito. A maior parte das aflições é voluntária e resulta da insensatez, da cobiça, do orgulho, da inveja, do ciúme e da maledicência.

Esse estado de alma revela a distância entre o homem e a mensagem de Jesus.

Inúmeras vezes, pessoas desequilibradas penetram em campo de vibrações doentias, conquistando sofrimentos que poderiam ser evitados. Sentem, não raro, a falta de proteção divina, porque o seu íntimo permanece cheio de angústia.

As atribulações merecedoras de consolo são aquelas em que o aflito se reconhece devedor e se propõe a uma retomada de posição, eliminando os fatores que as desencadearam. Ele buscará, então, o conhecimento das verdades evangélicas e removerá de si as arestas da imperfeição, motivo de angústias, melancolias ou remorsos tardios.

Diante dos infortúnios que atingem a sociedade no campo da violência, almas evangelizadas julgam, precipitadamente, situações que escapam às suas condições de análise.

Com referência aos criminosos que destroem lares, levando o desespero e a morte a homens honestos e responsáveis, o julgamento frio da condenação é colocado em primeiro plano. Sempre se conclui: a morte para o infrator seria o caminho mais justo. Esse aspecto necessita passar pelo crivo da razão e da fé raciocinada.

"Se fosse um homem de bem, teria morrido"[26] é o refrão popular.

A misericórdia divina serve-se de todas as formas possíveis para poupar ao espírito infrator o retorno prematuro ao plano espiritual. Na encarnação terrena terá ele meios de se redimir num despertar, mesmo tardio. Somente em

---

26. Fénelon, 1861: *O Evangelho Segundo o Espiritismo* (São Paulo: Petit Editora), 1997, Cap. 5, item 22. (N.M.)

situações em que se esgotaram todas as oportunidades, a lei sábia de Deus interfere em retiradas compulsórias, já que a alma está servindo de elemento hostil.

Quem sofre como vítima termina um resgate de dores e expiações, despertando no mundo maior na condição de espírito completista de uma fase encarnatória, principalmente se as más condições morais do algoz o levarem à misericórdia e ao perdão.

36 ❧ Sofrimento

"Em vez de procurar a paz do coração,
única felicidade real aqui na Terra,
é ávido por tudo aquilo que
pode agitá-lo e perturbá-lo (...)"
(*O Evangelho Segundo o Espiritismo*, Cap. 5, item 23)

EM VÃO O HOMEM busca na Terra a felicidade total.

Ela não se encontra nas alegrias materiais, mas está nas alegrias do espírito – da alma encarnada.

Quando buscamos explicações para os infortúnios, dores, decepções da vida, conseguimos sentir a mão amiga do Criador norteando-nos os passos. As respostas chegam. A alma se satisfaz, pois, nas conseqüências das aflições, entendemos a intensidade dos erros cometidos.

O homem compreende, assim, ser a felicidade independente da posição social, das conquistas intelectuais e das aquisições da matéria, porque, se não estiver preparado para fazer bom uso de tudo o que o progresso lhe oferece, cai no estado de apatia que não lhe permite o desfrute de todos esses bens.

E os sofrimentos originados pela inveja, pelo ciúme, pela cobiça, são tormentos voluntários que retratam ainda o estágio primitivo do espírito, que apenas tem aparência de elevação.

Aquele que ainda sofre pelas conquistas do semelhante, invejando-o pelo ciúme doentio, ou mesmo pela cobiça desenfreada daquilo que não lhe pertence, está muito distante de alcançar a verdadeira felicidade.

A felicidade é originada da calma, da tranqüilidade, do equilíbrio entre o ser e o ter.

Do ser – no esforço próprio de nos libertar do egoísmo, evangelizando-nos e demonstrando no exemplo de cada dia.

Do ter – ter o necessário para o conforto, para o lazer, para a família, sem a preocupação de escravizarmos a própria alma ao egoísmo, de fartar-nos num supérfluo desmedido, em prejuízo de nós mesmos e dos familiares. Tudo o que é excesso leva ao desequilíbrio se não estivermos bem preparados para administrar o que temos em mãos.

Tudo o que o homem conquista na Terra é empréstimo concedido pelo Criador. Feliz daquele que faz bom uso de tudo. Não terá os tormentos voluntários que desequilibram, estará sempre sereno, mesmo diante das calamidades da vida, pois não inventa necessidades absurdas. E a calma, em meio das tormentas, é um estado de felicidade.

37 — Pontos de alerta

>"O que importa ao soldado perder durante a ação suas armas, seus equipamentos e suas roupas, contanto que saia vencedor e com glória?"
>(O Evangelho Segundo o Espiritismo, Cap. 5, item 24)

MUITOS VÊEM COMO verdadeira desgraça a prova dolorosa da perda de um ente querido, um acidente que ceifa vidas, a miséria apresentada pelo fogão sem lume e o leito sem coberta. Contudo, a verdadeira desdita está nas conseqüências de muitos atos que, para os nossos olhos, não passam de modernismo.

Quando olhamos a tempestade, os coriscos decepando árvores, a água inundando terras, não atinamos com essa desgraça aparente. Surge daí a higienização da atmosfera, destruindo bacilos nocivos e levando nas enxurradas os detritos orgânicos para a limpeza da gleba atingida.

Assim também são os outros tipos de desgraça. Se observados e analisados do ponto de vista da eternidade, constata-se que eles desencadeiam uma série de compensações na vida futura. É o que ocorre, por exemplo, com a morte por acidente, desde que não seja provocada.

Outra faceta da desgraça é a fictícia: o prazer incontido, a fama mal vivida, a fútil inquietação, a satisfação da vaidade egoísta que oprime a consciência e obscurece o pensamento.

O homem de fé no futuro vê, nas desgraças passageiras do momento, pontos de alerta que necessitam ser analisados com bom senso, paciência e resignação, na certeza de que a bondade de Deus não nos deixa órfãos de Sua misericórdia infinita.

38 ❧ Melancolia na alma

"(...) esperai pacientemente o anjo da libertação (...)"
(*O Evangelho Segundo o Espiritismo*, Cap. 5, item 25)

UM ESTADO DE tristeza interior invade freqüentemente a alma ainda em luta no corpo de carne para o seu crescimento espiritual. É a melancolia, convidando o espírito a desligar-se de tudo, a alçar-se às regiões desconhecidas em busca de paz e de tranqüilidade.

Essa disposição deve ser evitada pelo homem consciente das suas responsabilidades para com Deus, com a pátria e com a família. Ela demonstra o desejo de afrouxamento dos liames do espírito com a matéria – é a forma sutil de suicídio considerada "inteligente".

Não, meus amigos, o espírito que se alimenta do pão espiritual do *Evangelho* de Jesus tem, mais do que os outros, o dever de orar e de vigiar a fim de a melancolia não o afastar dos projetos sublimes para o próximo.

Deus, na Sua misericórdia, oferece-nos condições de compreender a nossa missão na Terra. Ninguém pode duvidar dos deveres da família terrena e da família maior, que é a humanidade.

Espíritas, convicção dos ensinos evangélicos é o pedido de Jesus! Somos o sal da terra. Teremos de bem temperar os corações para não ficarem insípidos de sabedoria e de exemplos.

Afastem a melancolia da alma!

No *Evangelho* vivido em cada momento encontraremos o remédio certo, pois estamos escrevendo o quinto *Evangelho*[27], que não poderá ficar inacabado.

---

27. Segundo a espiritualidade, se seguirmos as pegadas de Jesus, estaremos, com o nosso exemplo, escrevendo o quinto *Evangelho*. (N. M.)

39 ❧ Provas e cilício

"Perguntais se é permitido ao homem
suavizar suas próprias provas?"
(*O Evangelho Segundo o Espiritismo*, Cap. 5, item 26)

O ESTUDO DOS ensinamentos do Mestre nos dá condição de analisar o destino, tomado de forma fatalista por alguns. Ele nada mais é que formulações de vida planejadas pelo próprio espírito, tendo em vista os atos cometidos no decorrer de sua jornada evolutiva.

Diante desse planejamento, surgem inúmeras decisões precipitadas que se transformam em provas voluntárias perfeitamente evitáveis no transcorrer da vida.

A lei sábia do Pai nos dá oportunidade de diminuir as nossas dores com a busca dos remédios salutares que as aliviam.

O exercício da paciência, da resignação e o esforço da inteligência na solução dos problemas são meios colocados

nas nossas mãos para amenizar as aflições da alma em testes redentores.

Não há necessidade de multiplicarmos as provas, muitas vezes já bem pesadas.

Muitos torturam o próprio corpo, numa maceração inútil, privando o espírito das forças orgânicas necessárias ao cumprimento da missão na Terra.

Qualquer tortura voluntária ou martírio imposto são contrários à Lei de Deus. Essas infrações graves são da responsabilidade de quem as pratica.

Qualquer tipo de abuso traz conseqüências inevitáveis, sujeitas a punições severas da própria natureza.

Quando nos impomos sofrimentos visando ao alívio da dor do próximo, eles se transformam em sacrifício abençoado por Deus.

O esforço da doação no trabalho da caridade, não apenas da beneficência, mas a renúncia aos prazeres e ao lazer para atender a um objetivo socorrista de reerguimento do próximo, representa o verdadeiro cilício de quem deseja servir a Deus.

É o cilício aplicado à alma, e não ao corpo, que recebe as humilhações sem queixa e sem revolta, machucando o amor próprio que esconde o nome de vaidade.

Dessa forma, a alma encarnada estará testando a coragem e a submissão à vontade de Deus.

40 ❧ Somente Deus deve decidir

"Ajudai-vos uns aos outros, sempre,
em vossas provas. Nunca vos torneis
instrumento de tortura para ninguém."
(O Evangelho Segundo o Espiritismo, Cap. 5, item 27)

POR INTERMÉDIO do amor e da abnegação podemos modificar os rumos dos testemunhos pelos quais todos necessitamos passar na Terra.

Mas, nunca, em momento algum, devemos pôr fim a eles pela própria vontade. Deus sabe, mais do que ninguém, o ritmo em que devem prosseguir até serem extintos.

Assim como o Pai oferece à humanidade a medicina para a cura das enfermidades, dá também ao homem sofredor meios de atenuar o seu padecimento pelo esforço da busca do remédio para suas provas.

São muitos os instrumentos colocados à disposição do homem no combate às aflições, desde o conforto moral, o amparo material, os conselhos e, até mesmo, os exemplos. São todos capazes de levá-lo ao reerguimento.

Todo espírita deve, pela sua fé vivenciada na razão, compreender a extensão infinita da bondade de Deus e não julgar precipitadamente se uma prova está chegando ou não ao fim.

Para aqueles de visão materialista seria atitude piedosa o desligamento dos aparelhos que mantêm a vida do doente. Quantos moribundos retornam à vida normal após chegarem à beira do túmulo!

Somente Deus – nosso Pai Criador – tem o direito de cortar ou prolongar a vida, segundo o que julgar a respeito.

Há casos, porém, em que o homem verdadeiramente abnegado vai ao encontro da morte, doando-se ao semelhante ou à pátria, sem que haja intenção premeditada de morrer.

41 — Submissão a Deus

"Aqueles que aceitam seu sofrimento com resignação, por submissão à vontade de Deus e visando à sua felicidade futura, não trabalham apenas para si mesmos? Podem tornar seus sofrimentos proveitosos aos outros?"
(O Evangelho Segundo o Espiritismo, Cap. 5, item 31)

A RESIGNAÇÃO diante dos sofrimentos e a aceitação das provas sem rebeldia fornecem oportunidades proveitosas tanto do ponto de vista material como do moral.

Materialmente, como respeito aos sacrifícios e privações ocasionados no trabalho árduo para contribuirmos com o bem-estar material do próximo.

Moralmente, como ato de submissão aos desígnios de Deus, permanecendo na fé, pacientemente, sem atingirmos o auge do desespero e de suas conseqüências dolorosas.

Bem-aventurados seremos nós, os aflitos, se conseguirmos usar a benevolência com a dor do próximo, pois diante dos nossos padecimentos obteremos a confiança que nos falta; seremos sustentados pelas mãos invisíveis de amigos espirituais, que nos consolarão dizendo:

"Bem-aventurados os que choram, pois serão consolados."[28]

---

28. Mateus, 5: 4.

42 ✤ Virtude esquecida

**"A humildade é uma virtude bem
esquecida entre vós. (...) O orgulho é
o terrível adversário da humildade."**
(*O Evangelho Segundo o Espiritismo*, Cap. 7, item 11)

A VAIDADE É O caminho certo para o orgulho. O coração incauto, afinado com a presunção, abre brechas de fácil acesso aos distanciados do bem. É o meio de ligação com o orgulho. Afasta-se da humildade que os ensinos de Jesus nos lembram exercitar, virtude esta que ultimamente se encontra muito esquecida.

A humildade é a base da doutrina de Jesus. A simplicidade dos seus ensinos procurou, nos pescadores da Galiléia, esse sentimento para nele ser trabalhado o seu reino de amor.

O rico que trata só de seus interesses desperdiça a oportunidade de transformar o ouro em benefício dos

desalentados. Se ele não se prepara para realizar o mandato de co-criador de Deus em plano menor, desperta no plano espiritual na condição de espírito injustiçado, passando a exigir recompensas imerecidas.

"Quem dá aos pobres, empresta a Deus" é o ditado popular que substituo, se me permitem, por: quem dá aos pobres, dá o empréstimo de Deus.

Tanto a riqueza, como todas as aquisições materiais de posse, de cargos, de posição, são empréstimos de Deus para o espírito encarnado se especializar no desejo sincero de servir.

O rico poderá ser humilde. A humildade não se revela na condição das vestes, mas na afirmação do caráter.

A nobreza de gestos e de sentimentos demonstra o esforço da alma em libertar-se do egoísmo, candidatando-se ao estabelecimento do amor.

Nem todo aquele que está na condição de pobre tem a característica da humildade em suas atitudes.

A caridade e a humildade estão muito distantes dos corações alimentados pelo ódio, pelas agressões veiculadas por palavras contundentes, que estabelecem um clima de desconfiança e desarmonizam o ambiente com a má vontade.

Nas injustiças aparentes que o ser sofre diante de uma sociedade tão desigual, a reação imediata de revolta necessita ser abrandada na certeza de que suportar corajosamente as humilhações dos homens é reconhecer que Deus é justo e todo-poderoso.

Cruzarmos os braços na atitude passiva de aceitação não é humildade. Devemos lutar, sim, trabalhando pela transformação do meio e pela implantação de leis cristãs em que os direitos e os deveres de cada cidadão sejam acolhidos dentro da fraternidade real.

Despertemos, em nós, a virtude esquecida da humildade e aparemos as arestas do orgulho, adversário terrível e responsável pelo desencadeamento de tantos males.

43 ❧ Adultério

> "Pecado por pensamento. Adultério."
> "Vós aprendestes o que foi dito
> aos antigos: Não cometereis adultério.
> Mas eu vos digo que qualquer um
> que tiver olhado para uma mulher
> cobiçando-a, já, em seu coração,
> cometeu adultério."
> (MATEUS, 5: 27 A 28)
> (*O Evangelho Segundo o Espiritismo*, CAP. 8, ITEM 5)

JESUS, EM SUA bondade, alerta todos os corações para a análise do *Evangelho*.

Coloca a palavra adultério num sentido mais amplo, designando-a como sendo o mal, o pecado e todos os maus pensamentos.

O homem que tem o coração puro, liberto de imperfeição, não pensa nunca o mal.

Aquele que dirige os pensamentos para o mal denota o estado de impureza em que se encontra.

O esforço de vencer os pensamentos negativos já demonstra que a alma está a caminho do crescimento espiritual.

À medida que o homem estuda a Doutrina Espírita, nas bases do Cristianismo Redivivo, encontra o caminho certo para o fortalecimento da vontade.

Sua conduta se fortalece nos princípios do bem, e ele toma boas resoluções no sentido de vencer o mal.

No esforço constante, libera-se das ações más e trabalha para que nem em pensamento essas ações negativas surjam. Está a caminho do progresso.

Aquele que ainda tem pensamentos maus e neles se compraz com os atos praticados distancia-se do bem, formando uma atmosfera própria de perturbação, para si mesmo e para os que o rodeiam.

Deus, que é Pai, cuja justiça e misericórdia nos aguardam, considera todos os atos responsáveis do homem.

44 ❧ Projetando a vida

"Deixai vir a mim os pequeninos, e não
os embaraceis, porque o reino de Deus
é daqueles que se lhes assemelham."
Jesus (Marcos, 10: 14)

JESUS TOMOU A infância como símbolo da pureza, da simplicidade e da humildade.

Apesar de o espírito encarnado na criança já ter tido experiências em outras existências, a fase pela qual ele passa no período infantil é de completa ingenuidade.

Todas as aquisições do passado, inteligência, caráter, permanecem em estado latente no subconsciente e à medida que o corpo vai desenvolvendo-se vão surgindo, ao mesmo tempo, todas as tendências.

Deus, na Sua misericórdia, assim permitiu, para que a maternidade estivesse envolvida na vibração de ternura e proteção, o sentimento natural das mães.

Para ela, o filho é um anjo cuja inocência lhe solicita toda atenção e devotamento.

Não poderia ser de outra forma, pois não haveria condição de os laços afetivos se fortalecerem, se não houvesse a graça ingênua.

Um caráter viril e idéias de adultos, sob os traços infantis, afastariam todas as possibilidades de educação no que se refere à modelagem da personalidade.

Diante da criança precoce que, em tenra idade, já evidencia as conquistas intelectuais do passado, a educação se torna mais difícil, pois ela vai perdendo mais rapidamente a inocência.

A sua própria constituição orgânica, a sua debilidade, não poderiam resistir a uma atividade excessiva do espírito.

Quando os pais são preparados para receberem no lar um espírito reencarnante, existe, durante o sono físico, um complexo processo antecedendo a encarnação com o objetivo de harmonizar os integrantes do projeto para uma aproximação. Às vezes, torna-se penosa pelos laços de antipatias do pretérito culposo.

Após a magnetização proveniente da aceitação dos encargos, o espírito prepara-se para renascer.

A união do espírito ao embrião realiza-se no momento da concepção, sob a supervisão de conscientes mensageiros encarregados do processo reencarnatório.

Nos casais em cujos corações a implantação do reino dos Céus é esforço diário, esses engenheiros da biologia humana encontram apoio magnético para o sucesso da empreitada: a própria câmara conjugal já oferece ambiente vibratório favorável à tentativa.

O espírito reencarnante perturba-se e entra em estado de inconsciência, permanecendo numa espécie de sono, mas conservando suas faculdades latentes.

É uma condição transitória, necessária para o espírito apagar de sua lembrança as últimas experiências vividas e ter um novo ponto de partida.

Ele conserva, é claro, as experiências adquiridas, que agem e reagem sobre si mesmo como tendências ou instinto.

Renasce para uma vida maior, no sentido moral e intelectual, necessitando do amparo da energia amorosa de pais e educadores responsáveis.

Com o crescimento do corpo e o desenvolvimento do cérebro, as idéias vão aflorando gradualmente, pois estavam adormecidas. Por isso, realmente, podemos dizer que, nos primeiros anos de vida, o espírito é uma criança dócil e sujeita a impressões capazes de modificar-lhe o caráter para o seu progresso espiritual.

Está revestido da roupagem da inocência, apesar de a alma ter vivido anteriormente.

Jesus está com a verdade quando toma a criança como símbolo da pureza e da simplicidade. "Em verdade vos digo que todo aquele que não receber o Reino de Deus como uma criança não entrará nele."[29]

---

29. Marcos, 10: 15.

45 — Pureza interior

"Enquanto Ele falava, um fariseu lhe pediu
que fosse jantar em sua companhia.
Jesus foi e sentou-se à mesa. O fariseu entrou
então a dizer consigo mesmo: Por que não lavou
Ele as mãos antes do jantar? Disse-lhe,
porém, o Senhor: 'Vós outros fariseus pondes
grande cuidado em limpar o exterior do copo
e do prato; entretanto, o interior dos vossos
corações está cheio de rapinas e de iniqüidades.
Insensatos que sois! Aquele que fez o
exterior não é o que faz também o interior?'"

JESUS (LUCAS, 11: 37-40)

JESUS, O CORDEIRO manso de Deus, veio trazer à humanidade a reforma interior, para impedir a alma de cair nas malhas do crime, do adultério, da mentira, da calúnia, da prática do mal ao próximo.

Aproveitava todas as situações para conclamar o homem à reformulação de vida, principalmente dos atos que tinham implicações na conduta moral.

De forma alguma, o Mestre, espírito perfeito, responsável pelo comando do globo terreno, aprovaria a falta de higiene quando se referiu às mãos não lavadas. Ele quis frisar que o lavar das mãos tinha aparência de pureza externa, sendo necessária, entretanto, a pureza interior, a do coração.

Ensinou, assim, sobre a futilidade das práticas exteriores, dos gestos.

De nada adiantam sinais externos, rituais pomposos, sacrifícios e promessas, uma vez que as aparências não fazem homens de bem; apenas supersticiosos e fanáticos.

É esse o cuidado que o espírita cristão deve ter como norma de conduta.

A doutrina do Cristo, por meio do Espiritismo, deverá sempre refletir a pureza, a simplicidade, e precaver-se de quaisquer rituais, gestos, práticas ou costumes que possam levar a interpretações estranhas, pois o Mestre nos alerta: "Toda planta que meu Pai não plantou será arrancada pela raiz".

46 — Canalização para o bem

"Não vos orgulheis do que sabeis (...)"
(*O Evangelho Segundo o Espiritismo*, Cap. 7, item 13)

COM A RENOVAÇÃO das idéias, o homem tem a oportunidade sublime de trabalhar pelo seu adiantamento e dos seus familiares. A Doutrina Espírita oferece esse campo, pois leva aos incrédulos as diretrizes para conhecer os outros planos de vida e, aos inseguros, a renovação da fé e da esperança, restabelecendo a confiança perdida.

Ao me dirigir ao homem encarnado, refiro-me também à criança.

Como espírito encarnado, a criança é dotada da mesma inteligência do adulto, que se desabrocha com o desenvolvimento do corpo orgânico.

EVANGELHO NO LAR
para crianças de 8 a 80 anos

Ela pode ter conquistas intelectuais já adquiridas em outras existências. Isso a leva, muitas vezes, a surpreender os familiares pelas colocações e reações inteligentes que não se coadunam com a sua idade.

O espírito pode escolher, de acordo com as necessidades, a sua missão na Terra, mas nem todos estão em condição de fazer uma boa escolha.

No dia-a-dia, a alma reencarnada pode sentir o desejo de riqueza, de poder. No estado de espírito liberto do corpo, entretanto, os anseios de uma vida principesca não a atraem. Ela percebe os perigos das facilidades dos prazeres materiais. Não raro, o desejo de uma existência ociosa, tranqüila, sem muitas responsabilidades é objeto de sua escolha antes do renascimento. Mas, ao regressar ao mundo espiritual, o espírito, consciente do tempo perdido, lamenta a escolha, propondo-se, então, a refazer os seus planos para uma próxima reencarnação.

Deus, em Sua infinita bondade, dotou o homem de inteligência para que ele pudesse realizar-se em benefício de todos.

Se nós recebemos a possibilidade de sermos educadores, iluminemos as consciências com o nosso exemplo!

Se nossas mãos são trabalhadas para o uso de instrumentos de precisão, vamos utilizá-las a serviço do bem e do progresso.

Se a nossa inteligência é canalizada às grandes descobertas, devemos usá-la para as coisas úteis.

Não a transformemos nunca em instrumento de orgulho e de perdição. A mão poderosa de Deus poderá retirá-la, advertindo-nos de que ninguém deve orgulhar-se daquilo que sabe, pois o saber tem limites bem estreitos.

Homens, jovens e crianças, canalizemos a inteligência para a construção do bem e da paz, e estaremos programando grandes alegrias vindouras.

47 • Que canteiro somos?

*"(...) pois os anjos consoladores
virão enxugar suas lágrimas."*
(O EVANGELHO SEGUNDO O ESPIRITISMO, CAP. 6, ITEM 6)

ESSE É O CONVITE do Espírito de Verdade para o esforço da resignação diante das dores e dos infortúnios que amarguram o espírito.

Confirma ele a necessidade das provas para a liberação do nosso espírito das falhas do passado e mostra o prêmio ao sofredor: a paz após as lutas vencidas.

Da mesma forma que o corpo deve ser alimentado pelo esforço das mãos no trabalho de onde vem o sustento, a alma será cuidada pelo jardineiro divino, que é Jesus. Somos canteiros a serem cuidados, cheios ainda de ervas daninhas, mas nos quais já se encontra a semeadura do bom grão.

Jesus convida-nos ao trabalho de eliminação das nossas imperfeições. Somente assim, quando soar a hora de fechar os olhos do corpo físico, após o cumprimento da missão na Terra, a alma se desvencilhará de todo o sofrimento terreno para imitar a borboleta esvoaçante, se deslumbrando diante da beleza da espiritualidade.

Os sacrifícios e as misérias superados com resignação e fé se transformarão em tesouros de paz nos mundos superiores.

E... quanto mais humilde e desnudo o homem, mais estará resplandecente no plano maior.

Carregarmos o fardo das dificuldades domésticas e prosseguirmos servindo aos mais desditosos, apesar das dores, é caminho de redenção para nós.

Na Doutrina Espírita encontraremos as normas que dissipam os erros das interpretações. Conhecendo os objetivos sublimes das provas humanas, teremos forças para enfrentar o calvário dos testemunhos redentores.

Não mais macularemos o coração com inveja dos ricos do mundo. Compreenderemos quão difícil é passar pelas tentações do luxo e da riqueza e agradeceremos a vida simples e tranqüila que nos equilibra a alma em aprendizado.

Confiemos no Deus de Amor, que nos fez a todos simples, ignorantes e fracos para nos tornarmos perfeitos.

Ele, em toda a Sua magnitude, mostra-nos que somos o barro a ser trabalhado e, um dia, ao conquistarmos a modelagem perfeita, seremos os artífices da nossa imortalidade.

48 ❧ Pais e filhos

"Honrar pai e mãe não é
apenas respeitá-los, é também
ajudá-los na necessidade (...)"
(*O Evangelho Segundo o Espiritismo*, Cap. 14, item 3)

QUANDO A ARGAMASSA do tempo trabalha na alma o esforço para as boas resoluções, o espírito desperta descobrindo as oportunidades valiosas ao aproveitamento das horas. Nem todos chegam a essa renovação. Muitos preferem alongar-se nos devaneios improdutivos, fazendo da existência terrena apenas uma viagem a mais quando estaciona na improdutividade. Mas, feliz daquele que sai da inércia para os valores reais da vida: consegue fazer da caminhada roteiro de luz e de trabalho, semeando os grãos do amor e da paciência, compreendendo que, para a árvore produzir o bom fruto, é preciso dar-lhe a cobertura desde o germinar da semente.

É o espírito encarnado uma semente da lavoura de Deus. Ele requer de todos, principalmente dos pais, a proteção do exemplo salutar. E das mãos amigas reclama o direcionamento para a busca da prece a fim de que, desde cedo, se estabeleça nele a confiança em Deus. Do mais simples dos lares, ao mais abastado, o alimento do amor é que concede à alma o equilíbrio para as grandes realizações.

Muitos filhos são para os pais e para a família o protótipo que lhes foi desenhado nas atitudes observadas em cada dia da existência na companhia dos familiares.

Se a cobiça, o ódio, o egoísmo são normas da conduta diária dos pais, o espírito, que já de outras épocas tem arraigadas essas mazelas no seu subconsciente, não encontra apoio para libertar-se delas. Ao contrário, vê campo propício ao fortalecimento dessas arestas. Um dia elas serão aparadas quando os desenganos e as decepções lhe aclararem a análise.

Quando os pais que nada fizeram para modificar o caráter negativo do filho, fortalecendo assim seus defeitos por uma culposa indiferença, sentirem que são diretamente atingidos por maus-tratos, perceberão quanto deixaram de realizar no campo da educação.

Sofrerão, na mesma existência, a decepção de ver aquele a quem foram devotados os melhores anos da vida palmilhando o caminho do sofrimento.

Felizes seremos nós que lutamos para encaminhar desde pequenas as almazinhas a Deus. Por mais difíceis que sejam os nossos testemunhos, se estivermos alimentados pela fé que consola e que desperta conseguiremos forças para crescer e enfrentar todos os percalços. A religião nos fortalece os ideais, principalmente quando o estudo estabelece lógica e bom senso para as grandes decisões da vida.

Muitos filhos não entendem ainda o seu posicionamento. Revoltam-se por não encontrarem nos pais as companhias que desejariam para a caminhada na Terra.

Muitos pais, desconhecendo as leis sábias de Deus, acomodam-se sem se esforçarem para entender o porquê da indiferença e até da inaceitação entre elementos da família.

Carregam o imenso fardo, achando-o pesado demais, como se esperassem ardentemente uma libertação.

Ah! Irmãos em Cristo! Quando a consoladora Doutrina Espírita conseguir mostrar para o coração sofrido que ninguém sofre sem merecimento, que, na aparente punição, o espírito se liberta de um passado culposo, substituiremos o semblante enrugado e entristecido pela certeza de que nossos débitos serão ressarcidos e dias melhores chegarão.

Se, diante da ingratidão dos filhos, conseguem os pais abençoá-los, para que o despertar da consciência lhes chegue, estarão aprimorando o coração para o exercício do amor que é capaz de perdoar.

Pais, irmãos que se angustiam tanto por não verem seus filhos atingirem o ideal que sonharam para eles – entreguem-nos a Deus. Quando se esgotam todas suas possibilidades, e seus esforços forem considerados em vão, confiem e esperem. O tempo que faz rolar as pedras até que elas se encontrem um dia também trabalhará em seu favor.

Na decepção do coração materno, sempre existe um raio de esperança, nem que seja para que ele venha a brilhar nos séculos afora.

Ninguém vive distante do olhar magnânimo de Deus-Pai. Pode demorar a vitória, mas, um dia, ela chegará, quando a alma, cansada dos seus desenganos, abrir-se para receber o chamamento.

Aí, então, por mais endurecida que seja, recordar-se-á da voz amiga do pai ou da mãe que, no recôndito do pensamento, estará lhe ensinando a busca de Deus.

Não mais o desespero, não mais as lágrimas ou o ranger de dentes, mas, sim, a dignificação da mensagem: "Honrarás a teu pai e a tua mãe para teres uma dilatada vida sobre a terra que o Senhor teu Deus te há de dar"[30].

---

30. Êxodo, 20: 12 – *O Evangelho Segundo o Espiritismo* (São Paulo: Petit Editora), 1997, Cap. 14, item 2.

49 — Um só caminho – caridade

"Porque tive fome e me destes de comer, tive sede, e me destes de beber..."
JESUS (MATEUS, 25: 35)

NO CAMPO DA caridade são plantadas as mais variadas sementes. Em cada uma delas evidencia-se o poder do amor trabalhando as profundezas do sentimento humano.

Tal como a seleção dos bons grãos, para a garantia da germinação no solo, a caridade no homem apresenta-se embrionária, aguardando a seleção dos caracteres para resplandecer.

Alguns ensaios são feitos no terreno da beneficência e da fé, mas nem todos revelam os princípios da verdadeira caridade.

Jesus, ao exemplificar a mensagem de Deus, esforçou-se para colocar na simplicidade do seu recado o resumo dos *Dez Mandamentos* – "Amar a Deus sobre todas as coisas e ao próximo como a si mesmo"[31].

Sem necessidade de simbologia, o Mestre alerta o homem sobre a libertação do egoísmo e da injustiça. Para isso, traçou o roteiro de amor para a humanidade.

Mas quantos descaminhos! Enquanto o avanço tecnológico explode no campo das grandes descobertas, a moralidade implode, destruindo valores reais, com o desculpismo de modernização de conceitos e liberação da censura.

E a seleção dos grãos da caridade aparece prejudicada. O egoísmo e o orgulho são barreiras, porque fazem grassar as injustiças, a libertinagem e o desrespeito.

Todos defendem os seus direitos, mas deixam em segundo plano os seus deveres para com Deus e o próximo.

Os pouquíssimos grãos dispostos a fazer germinar a caridade apresentam deficiências tão grandes que somente permanecendo na estação experimental do sofrimento poderão eliminar essas mazelas.

É a forja no fogo da purificação.

Esses grãos representam a humanidade terrena – sofrida e teimosa.

---

31. Mateus, 22: 37-39.

O fogo da purificação revela-se nas provas dolorosas assumidas em conseqüência do descaso e do distanciamento de Deus.

Aceitando a possibilidade de ser ele co-criador em plano menor e deixando o orgulho e o egoísmo imperarem, o homem desvirtuou o "Amar a Deus e ao próximo", colocando o mandamento apenas como conceito elevado e refrão popular.

Mas a seleção das sementes já está iniciando. Feliz quem ainda em tempo desperta para merecer a Terra. Um só caminho lhe é deixado – a prática da caridade. Somente com ela poderemos trabalhar e nos tornar a semente selecionada, híbrida, capaz de germinar e produzir uns cem e muito mais grãos.

50 — Caridade autêntica

> "Que a vossa mão esquerda
> não saiba o que faz a direita."
> (Mateus, 6: 1-4)

QUANDO O HOMEM descobrir a caridade como caminho para Deus, toda dor será vencida e os testemunhos da jornada nada mais serão que chamamentos para a valorização da vida.

Viver é caridade de Deus para com os espíritos em busca de perfeição.

Somente ao perder o corpo físico, o espírito pode assenhorear-se de toda a gama de valores que o corpo lhe oferece por meio das experiências bem vividas.

No tocante ao aproveitamento das horas, inenarráveis são os casos em que o homem malbaratou o tempo, perdendo oportunidades de serviço para com o semelhante.

Outro caminho não há senão o da caridade bem compreendida, bem direcionada, no trabalho na vinha do Senhor.

Iniciaremos o dia planejando as atividades, mas incluamos a forma de desempenhá-las em que os preceitos do *Evangelho* estejam sempre em primeiro plano.

É difícil conhecermos o momento de empregar as orientações de Jesus. Os interesses da matéria falam mais perto do coração. Mas não há outra condição para uma vivência cristã senão a da exemplificação nos atos mais simples. Por exemplo: a contenção de um gesto inferior dirigido a alguém. Isto é uma amostragem da caridade. E há tanto para realizar!... Há tantas bocas famintas, ressequidas pela falta da água, do leite, do pão!...

Ah! Quantos infortúnios aparecem ocultos da grande agitação da cidade grande!

Ah! Quantos lamentos escondidos nas paredes humildes, na cidade pequena!

Em todo lugar, o convite é constante.

Mensageiros de Jesus inspiram almas devotadas para o concerto da caridade. Mostram oportunidades variadas de realização socorrista a cada passo do transeunte apressado.

A venda nos olhos é colocada propositadamente ainda por muitos e muitos.

EVANGELHO NO LAR
para crianças de 8 a 80 anos

É a pressa a culpada de tudo? Não, é a dureza das almas acostumadas ao imediatismo egoísta.

E a canção da caridade aí está cantada por muitos, mas realizada por poucos!

Almas que me escutam! Não desperdicemos a hora chegada. Ponhamo-nos em prece, atuantes, não apenas em petitórios sem ação. Doemo-nos na empreitada de luz que o Pai nos oferece. Ofereçamos nosso tempo, as nossas horas de lazer, a nossa parcela no óbolo, doação que reergue socorrendo o coração sofrido.

Doemos a nossa inteligência, a nossa inspiração, as nossas habilidades e partamos ao encontro dos infelizes.

Alguma coisa de si sempre encontra aquele que deseja dar. Lembremo-nos que os tesouros do Céu se centuplicarão para a nossa alegria se o óbolo humilde for dado com sinceridade.

Não existem festas mais bonitas, nem viagens mais interessantes para a satisfação da alma, senão a prática da caridade autêntica que faz com que se opere de modo que "a mão esquerda não saiba o que faz a direita".

Roteiro para o estudo do Evangelho no lar

FINALIDADES

O OBJETIVO DO estudo continuado do *Evangelho* no lar é unir a família, proporcionar a todos uma convivência de paz e tranqüilidade por intermédio da prática dos ensinamentos de Jesus.

A reunião semanal em torno do *Evangelho* higieniza o lar por intermédio dos pensamentos elevados a Deus e facilita o auxílio espiritual dos mensageiros do bem a nosso favor.

Proporciona, no lar, e fora dele, o fortalecimento que necessitamos para enfrentarmos dificuldades de toda ordem, e mantermos ativos os princípios da oração e da vigilância.

Contribui para elevar o padrão vibratório da família, para que, a partir do lar, possamos colaborar para a construção de um mundo melhor.

EVANGELHO NO LAR
PARA CRIANÇAS DE 8 A 80 ANOS

SUGESTÕES

Escolha um dia da semana e horário que permita a presença de toda a família, ou daqueles que desejarem participar do estudo do *Evangelho*.

A determinação de um dia e horário para essa finalidade estabelece um compromisso com a espiritualidade, o qual deverá ser cumprido pontualmente, para garantir os benefícios da assistência dos benfeitores do mundo maior.

A duração da reunião poderá ser de vinte minutos ou mais, de acordo com as necessidades da família.

Não suspender a reunião em virtude de visitas, passeios adiáveis ou acontecimentos fúteis.

Providenciar uma jarra com água para ser servida no final da reunião.

ROTEIRO

1. Prece inicial

Orar o Pai-Nosso ou uma prece simples e espontânea. Devemos valorizar os sentimentos e não as palavras. Pedir a Deus que abençoe a reunião e a todos aqueles que se apresentaram para participar.

2. Leitura

Leitura em seqüência de um trecho de *O Evangelho Segundo o Espiritismo*, de Allan Kardec, a partir da primeira página – prefácio, introdução e notas.

3. Comentários

Deverão ser breves, com o objetivo de esclarecer e facilitar a compreensão dos ensinamentos e sua aplicação no dia-a-dia da família.

4. Vibrações

Vibrar é emitir sentimentos e pensamentos de amor, paz e harmonia. Sugestão: seguir um roteiro básico e acrescentar vibrações particulares, de acordo com as necessidades familiares.

Em tranqüila serenidade e confiantes em Jesus, vibremos: por todos os povos, para que haja paz; pelos dirigentes de todos os países; pelos nossos governantes; pelas crianças e pelos idosos; pelos jovens; por todos aqueles que trabalham em favor da divulgação do *Evangelho*; pelos religiosos, para sua confraternização; por nossos companheiros de trabalho; por nossos companheiros de estudo; por nossos vizinhos; por nossos amigos; por aqueles que ainda não nos querem bem; por nossos familiares. Graças a Deus!

5. Prece Final

Em agradecimento à misericórdia divina, orar o Pai-Nosso ou uma prece espontânea. Pedir aos benfeitores espirituais acrescentarem fluidos benfazejos à água colocada sobre a mesa. Convidar a todos, e, em especial, aos amigos espirituais para participarem da próxima reunião, que deverá ser realizada no mesmo dia da semana e horário.

Sobre o Espírito Meimei

MEIMEI É UMA expressão chinesa que significa "amor puro", carinhoso apelido pelo qual o casal Irma de Castro Rocha e Arnaldo Rocha se tratava na intimidade de seu lar.

Irma de Castro nasceu em 1922, na cidade de Mateus Leme (MG). Em 1934, mudou-se para Belo Horizonte, onde anos depois conheceu Arnaldo Rocha, com quem se casou em 1944. A saúde de Irma era frágil e ela não resistiu: desencarnou alguns dias antes de completar 24 anos.

Durante o período em que foi acometida de sérios problemas de saúde, atormentada por grande sofrimento, demonstrou comovente resignação: a expressão serena de seu rosto refletia sua generosidade e meiguice.

Meimei
Miltes Carvalho Bonna

Arnaldo Rocha, ainda inconsolável com a perda da esposa, encontrou-se, por acaso, com Francisco Cândido Xavier. Quando caminhava pela Avenida Santos Dumont, em Belo Horizonte, foi abordado pelo médium, a quem conhecera anos antes. Chamando-o pelo nome, Chico se referiu a ela como Meimei e pediu que Arnaldo mostrasse o retrato da esposa guardado na carteira. Naquele mesmo dia, em reunião familiar, o viúvo recebeu a primeira mensagem de Meimei. Tempos depois, Chico revelou que Meimei, em uma de suas encarnações, foi Blandina, personagem retratada na obra *Entre a Terra e o Céu* (Rio de Janeiro: Federação Espírita Brasileira) do Espírito André Luiz, psicografada por ele. Materializada, durante uma sessão espírita, Meimei dirigiu-se ao esposo, convertido ao Espiritismo: "A ajuda aos nossos semelhantes, o trabalho fraterno, fazem-nos mais belos".

Evangelho no Lar para crianças de 8 a 80 anos, psicografado por Miltes Bonna, entre outros livros e mensagens, é mais uma manifestação do amor de Meimei, espírito que trabalha com abnegação em favor daqueles que sofrem, inspirando a prática da caridade.

Seja você também um "Amigo da IAM"

Colabore na sustentabilidade dos trabalhos sociais com uma doação mensal por meio de boleto bancário.

Cadastre-se pelo telefone **11 4176-8600**

Doações: **Banco do Brasil S/A**
Agência: 3251-4
C/C: 10.835-9

Instituição Assistencial Meimei
Mantida pelo Centro Espírita "Obreiros do Senhor"
Registrada no Conselho Nacional de Assistência Social Proc. Nº 2.300.001.616/83-5
Registrada no Conselho Municipal de Assistência social nº001/98
Utilidade Pública Federal – Decreto de 30 de Setembro de 1991 – (Processo MJ nº 6.076/86)
Utilidade Pública Estadual – Lei nº 3.899/83
Utilidade Pública Municipal – Lei nº 2.544/83
CNPJ 51.127.835/0001-48

Rua Francisco Alves, 275, Paulicéia, 09692-000
São Bernardo do Campo, SP - Tel: 11 4176-8600

www.iam.org.br
expediente@iam.org.br

Levamos o livro espírita cada vez mais longe!

 Av. Porto Ferreira, 1031 | Parque Iracema
CEP 15809-020 | Catanduva-SP

 www.**petit**.com.br
www.**boanova**.net

 petit@petit.com.br
boanova@boanova.net

 17 3531.4444

 17 99777.7413

Siga-nos em nossas redes sociais.

@boanovaed   boanovaeditora

CURTA, COMENTE, COMPARTILHE E SALVE.
utilize #boanovaeditora

Acesse nossa loja   Fale pelo whatsapp